#홈스쿨링
#혼자공부하기

똑똑한
하루
글쓰기

Chunjae
Makes
Chunjae

▼

기획총괄	박진영
편집개발	전종현, 이재인, 김민숙, 백경민, 박지윤
디자인총괄	김희정
표지디자인	윤순미, 김지현
내지디자인	박희춘, 배미현
제작	황성진, 조규영

발행일	2021년 1월 15일 초판 2021년 7월 1일 2쇄
발행인	(주)천재교육
주소	서울시 금천구 가산로9길 54
신고번호	제2001-000018호
고객센터	1577-0902

3단계 Ⓐ 공부할 내용 한눈에 보기!

 똑똑한 하루 글쓰기를 함께 할 친구들을 소개합니다.

공부하자~

힘내~!

나만 믿어!

밤톨

달래

기찬

바밤별에서 글쓰기를 배우러 온 외계인 친구 밤톨! 엉뚱발랄한 달래와 잘난 척 왕자 기찬을 만나 함께 공부하며 글쓰기 실력이 쑥쑥 자라고 있대요.

안녕~!

함께 하자!

무엇이든 물어봐!

글쓰기도 재미있어!

글봇   판판   똑똑이   술술이

글쓰기 공부를 도와주는 글봇과 말하는 판다 판판도 글쓰기 공부를 함께 할 거예요.
글쓰기 채널을 운영하는 똑똑TV 똑똑이와 술술TV 술술이도 기억해 주세요.

글쓰기,
어떻게 시작할까요?

똑똑한 글쓰기 질문
하나!

글쓰기 공부 왜 필요할까요?

자신의 생각을 표현하는 수단이자 모든 학습의 바탕이 되는 활동이 바로 글쓰기예요. 특히 배운 내용을 정리하고, 이해한 것을 글로 풀어내는 글쓰기 능력은 모든 과목 학습 성취에 큰 영향을 끼친답니다.

똑똑한 글쓰기 질문
둘!

계속되는 글쓰기 공부의 실패 원인은 무엇일까요?

글쓰기를 시작하는 순간부터 아이들은 무엇을 써야 할지, 어떻게 표현할지, 어떻게 고쳐야 자연스러울지 등 많은 고민을 하게 되고, 이를 힘들어한답니다. 이렇게 복잡하고 어려운 글쓰기 과정이 익숙해지지 않았을 때 "이것 한번 써 보렴." 하고 과제를 주면 돌아오는 대답은 "엄마, 글쓰기가 싫어요!"일 수밖에 없을 거예요. 그래서 『똑똑한 하루 글쓰기』는 아이들이 차츰 글쓰기에 익숙해지고 재미를 붙여 나갈 수 있도록 만들었답니다.

똑똑한 글쓰기 질문
셋!

글쓰기 공부 어떻게 시작해야 할까요?

쉽고 재미있는 『똑똑한 하루 글쓰기』로 시작해 보세요. 만화와 게임 형식의 문제로 글쓰기 개념을 익히고, 낱말 쓰기부터 한 편 쓰기까지 단계별로 글쓰기를 연습할 수 있어요. 그리고 고쳐쓰기를 통해 문법 실력을 키우고, 내 생각 쓰기로 마무리하며 창의적 글쓰기까지 연습할 수 있답니다. 하루하루 꾸준히 공부해서 한 권을 끝내면 글쓰기 실력과 함께 자신감도 쑥쑥 자랄 거예요.

진짜 똑똑한 글쓰기를 시작해 볼까요?

이 책의 특징과 장점

똑똑한 하루 글쓰기로 똑똑해지자!

똑똑한 하루 글쓰기!
왜 똑똑한 하루 글쓰기일까요?

1 10분이면 하루 글쓰기 끝! 쉽고 재미있는 글쓰기 공부!

2 교과 학습 과정을 반영한 갈래별 글쓰기! 매주 다양한 갈래로 즐거운 학습!

3 단계별 글쓰기로 글쓰기 실력 향상! 낱말 쓰기부터 한 편 쓰기까지!

4 고쳐쓰기로 기초 실력 다지기! 어휘력과 문법 실력도 쑥쑥!

5 창의·융합·코딩으로 사고력 넓히기! 생활 어휘부터 코딩 학습까지!

구성과 활용 방법

주 도입

한 주 동안 공부할 내용을 만화로 미리 살펴보고, 한 주의 글쓰기 개념을 만화와 문제로 확인합니다.

똑똑한 하루 글쓰기 코스

글쓰기 개념 익히기

캐릭터들의 재미있는 대화와 게임 형식의 확인 문제로 핵심 글쓰기 개념을 익힙니다.

단계별 글쓰기

다양한 글쓰기 상황을 살펴보고, '낱말 쓰기 → 문장 쓰기 → 한 편 쓰기'를 단계별로 학습하며 쉽고 재미있게 글쓰기를 연습합니다.

똑똑한 하루 글쓰기 고쳐쓰기

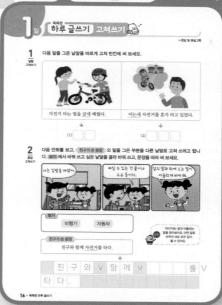

똑똑한 하루 글쓰기 마무리

고쳐쓰기
'낱말 고쳐쓰기 → 문장 고쳐쓰기'를 통해
글쓰기의 기본인 어휘력을 높이고 문법과
맞춤법 실력을 다집니다.

내 생각 쓰기로 마무리
하루 학습 목표에 맞게 제시된 주제에 대한
내 생각 쓰기로 하루의 글쓰기 학습을 마무
리합니다.

주 특강

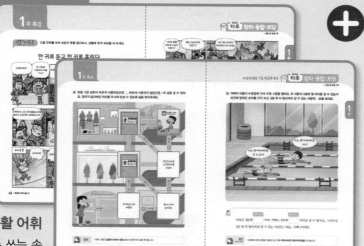

누구나 100점 테스트

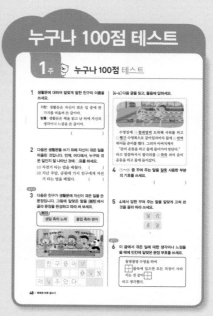

생활 어휘
생활 속에서 자주 쓰는 속
담과 관용어의 뜻과 쓰임
을 만화로 익힙니다.

창의·융합·코딩 미션
게임 형식의 창의·융합·코딩 미션을 해결하며 재미있게
한 주의 중요 어휘를 확인하고 다양한 배경지식을 넓힙니다.

누구나 100점 테스트
한 주 동안 공부한 내용을 평가하며
갈래별 글쓰기 실력을 확인합니다.

친구들과 약속해요!

우리 같이 약속해요!

첫째, 하루하루 빠짐없이 꾸준히 공부하기!

둘째, 하루 글쓰기 문제 끝까지 다 풀기!

셋째, 또박또박 바르게 글씨 쓰기!

약속하는 사람 _____

쉽고 재미있는
『똑똑한 하루 글쓰기』로
첫 글쓰기 공부를 시작해 봐요.

똑 똑 한

하루
글쓰기

3 단계
A

2~3학년

생활문을
써 보자!

1-1 생활문을 쓰기 위해 자신이 겪은 일을 떠올리는 방법으로 알맞은 것을 골라 ○표를 하세요.

(1) 책에서 읽은 일을 자신이 겪은 일인 것처럼 상상하여 떠올린다. ( )

(2) 자신이 겪은 일을 언제, 어디에서, 누구와 겪은 일인지 떠올린다. ( )

1-2 다음은 생활문에 들어갈 내용 중 무엇을 떠올린 것인지 알맞은 것을 골라 따라 쓰세요.

새해 첫날에 있었던 일이야.

언 제

누 구 와

어 디 에 서

▶ 정답 및 해설 2쪽

2-1 생활문에 겪은 일을 실감 나게 쓰는 방법으로 알맞지 <u>않은</u> 것에 ×표를 하세요.

(1) 꾸며 주는 말을 넣는다. ( )

(2) 글쓴이의 생각은 작은따옴표를 사용해 표현한다. ( )

(3) 글쓴이가 직접 한 말이나 들은 말은 큰따옴표를 사용해 표현한다. ( )

(4) 노래 부르는 듯한 느낌이 들도록 글자 수를 일정하게 반복하여 쓴다. ( )

2-2 다음 생활문에서 빨간색으로 쓴 부분을 보고, 생활문에 겪은 일을 실감 나게 쓴 방법이 무엇인지 빈칸에 알맞은 말을 쓰세요.

솔솔 불어오는 가을바람이 시원했던 지난 주말에 엄마와 놀이공원에 갔다.

알록달록 놀이 기구들을 보니 내 마음이 콩닥콩닥 설렜다. 빙글빙글 돌아가는 회전목마에 올라타니 더 즐거웠다. 이번 주말에 또 가고 싶다.

ㄲ ㅁ ㅈ ㄴ ㅁ 을 넣는다.

겪은 일 떠올리기

언제, 어디에서, 누구와 겪은 일인지 떠올려라!

생활문은 자신이 겪은 일 가운데 한 가지를 골라 쓴 글이에요.

생활문을 쓰기 위해서 자신이 겪은 일을 떠올릴 때에는

언제, 어디에서, 누구와 있었던 일인지를 떠올려야 해요.

● 그림에 맞는 퍼즐 모양을 찾아 ◯표를 하고, 생활문을 쓸 때 떠올릴 내용 중 무엇에 해당하는지 알아보아요.

어디 에서

1 주

누구와

지난 가을

언제

 자신이 겪은 일을 떠올리며 문장을 따라 쓰세요.

지	난	∨	가	을	에	∨	가	족	과	∨
함	께	∨	뒷	산	에	∨	가	서	∨	단	풍
을	∨	구	경	했	다	.				

겪은 일 떠올리기

● 다음 그림을 보고, 기찬이가 생활문을 쓰기 위해 어떤 일을 글감으로 떠올렸는지 쓰세요.

- 언제: 지난 주말
- 누구와: 친구와
- 어디에서: 공원

- 언제: 어제
- 누구와: 혼자
- 어디에서: 동네 뒷산

- 언제: 오늘 아침
- 누구와: 혼자
- 어디에서: 공원

- 언제: 오늘 낮
- 누구와: 혼자
- 어디에서: 내 방

- 언제: 월요일
- 누구와: 친구와
- 어디에서: 친구 집

최근에 내가 겪은 일 중 지난 주말에 공원에서 친구에게 자전거 타는 법을 배운 일이 특히 기억에 남아. 금세 배워서 어느새 자전거를 혼자 탈 수 있게 되어서 정말 뿌듯했어!

🐭 **어휘 풀이**

▼ **금세** 시간이 얼마 지나지 않아서. 예 자장면 한 그릇을 금세 해치웠다.

▼ **뿌듯했어** 기쁨이나 감격이 마음에 가득 차서 벅찼어. 예 글짓기 대회에서 상을 타서 뿌듯했다.

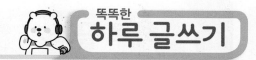
낱말 쓰기

다음 그림을 보고, 기찬이에게 어떤 일이 있었는지 빈칸에 알맞은 낱말을 보기 에서 각각 골라 쓰세요.

보기

공원   병원   친구   의사

(1) 지난 주말, ☐☐ 에 갔다.

(2) ☐☐ 에게 자전거 타는 법을 배웠다.

문장 쓰기

1에서 있었던 일을 한 문장으로 정리해서 쓰세요.

지난 ☐☐, ☐☐ 에 가서 ☐☐☐☐☐

☐☐☐ 을 배웠다.

한 편 쓰기

2에서 완성한 문장을 사용해 기찬이가 생활문을 쓰기 위해 언제, 어디에서, 누구와 겪은 일을 글감으로 떠올렸는지 쓰세요.

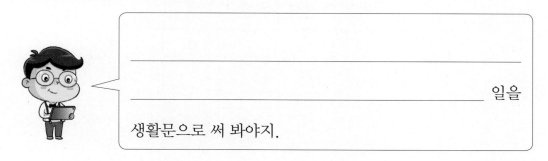

＿＿＿＿＿＿＿＿＿＿＿＿＿＿＿＿＿＿＿＿

＿＿＿＿＿＿＿＿＿＿＿＿＿＿＿＿＿ 일을

생활문으로 써 봐야지.

1 낱말 고쳐쓰기

다음 밑줄 그은 낱말을 바르게 고쳐 빈칸에 써 보세요.

자전거 타는 법을 금새 배웠다.

어는새 자전거를 혼자 타고 있었다.

(1) ⬚ ⬚ ·

(2) ⬚ ⬚ ⬚

2 문장 고쳐쓰기

다음 만화를 보고, 친구가 쓴 문장 의 밑줄 그은 부분을 다른 낱말로 고쳐 쓰려고 합니다. 보기 에서 바꿔 쓰고 싶은 낱말을 골라 바꿔 쓰고, 문장을 따라 써 보세요.

나는 김밥을 마셨어.

마실 수 있는 건 물이나 우유 등이지.

앞의 말과 뒤에 오는 말이 어울리게 써야 해.

보기

비행기　　　자동차

힌트 '타다'라는 말과 어울리는 말을 찾아보아요. 어떤 말로 바꾸어 써도 모두 답이 될 수 있어요.

친구가 쓴 문장

친구와 함께 자전거를 타다.

↓

친	구	와	V	함	께	V							를	V
타	다	.												

1
주

◉ 다음 대화를 보고, 자신이 생활문의 글감으로 쓰고 싶은 겪은 일을 한 가지 떠올려 쓰세요.

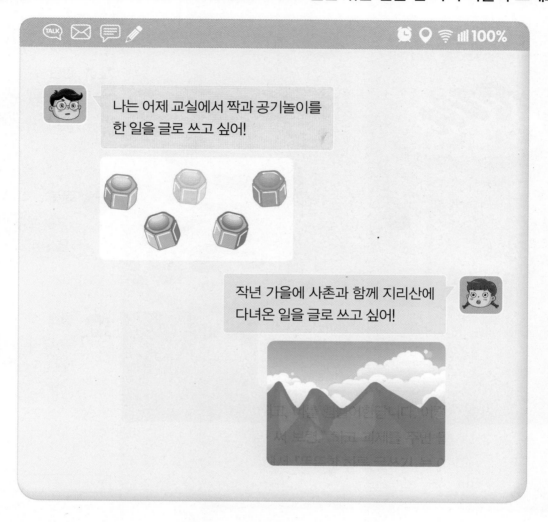

- -

내 이름

나는 _____

_____

_____을/를 글로 쓰고 싶어.

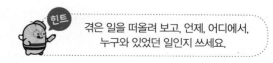
힌트
겪은 일을 떠올려 보고, 언제, 어디에서,
누구와 있었던 일인지 쓰세요.

2일 겪은 일 쓰기 ①

판판
달래의 생일잔치가 생각나네.

글봇
우리 모두 달래 집에 놀러 갔었지.

달래
그날의 추억은 절대 잊을 수 없을 거야!

어제는 저의 생일이었답니다!
생일잔치에서 있었던
일을 들려줄게요.

겪은 일을 구체적으로 써라!

생활문에 자신이 겪은 일을 쓸 때에는 구체적으로 써야 해요.

겪은 일을 구체적으로 쓰면 일어난 일을 자세히 표현할 수 있고,

자신이 한 일을 되돌아볼 수 있어서 좋답니다.

● 생활문에 자신이 겪은 일을 쓰는 방법에 맞게 빈칸에 알맞은 말을 쓰고, 퍼즐판에서 찾아
○표를 하세요.

겪은 일을 쓸 때에는 일어난 일을 ❶ ☐☐☐ 으로 써요.

겪은 일을 구체적으로 쓰면 일어난 일을 ❷ ☐☐☐ 표현할 수 있어요.

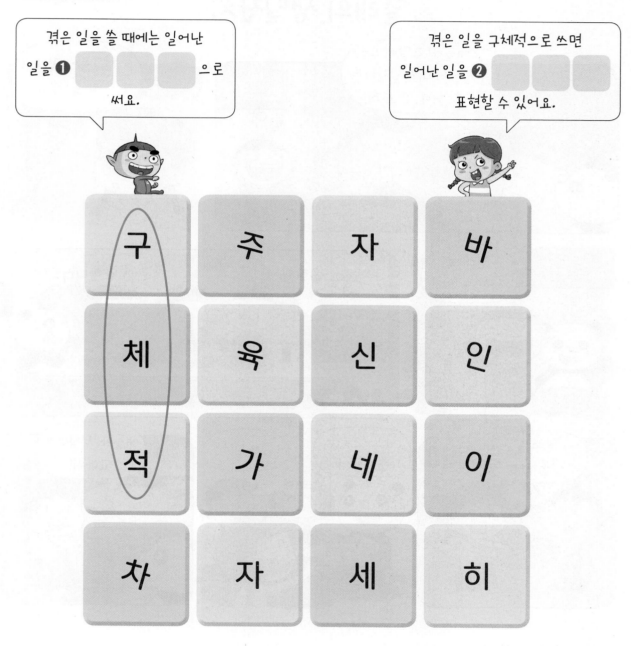

구	주	자	바
체	육	신	인
적	가	네	이
차	자	세	히

겪은 일을 구체적으로 쓰면 ❸ ☐☐ 이 한 일을 되돌아볼 수 있어요.

◉ 다음 만화를 읽고, 달래가 겪은 일을 정리하여 쓰세요.

달래의 생일잔치

🐻 **어휘 풀이**

▼**주말**|돌 주 週, 끝 말 末| 한 주일의 끝 무렵. 주로 토요일부터 일요일까지를 이른다.

　　⑩ 주말에는 학교에 가지 않는다.

▼**진심**|참 진 眞, 마음 심 心| 거짓이 없는 참된 마음. ⑩ 전학 온 친구를 진심으로 환영했다.

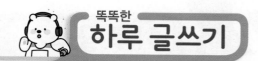

▶정답 및 해설 3쪽

낱말 쓰기

다음은 달래가 겪은 일을 정리한 것입니다. 빈칸에 들어갈 말을 각각 쓰세요.

(1) 친구들을 ㅅ ㅇ ㅈ ㅊ 에 초대했다.

(2) 친구들이 생일 축하 ㄴ ㄹ 를 불러 주었다.

(3) 친구들이 생일 ㅅ ㅁ 을 주었다.

문장 쓰기

1에서 답한 달래가 겪은 일을 두 문장으로 정리하여 쓰세요.

❶ 친구들을 ☐☐☐☐☐☐☐ 했다.

❷ 친구들이 ☐☐☐☐☐☐ 불러 주고, ☐☐ ☐☐☐ 주었다.

한 편 쓰기

2에서 완성한 문장을 이용해 달래가 겪은 일을 정리하여 쓰세요.

❶지	난	∨	주	말	에	∨	친	구	들	을	∨
					∨				❷친
구	들	이	∨			∨			∨
	∨			∨			,		∨
		∨	주	었	다	.

1
낱말
고쳐쓰기

다음 밑줄 그은 낱말을 상황에 맞게 고쳐 써 보세요.

민서야, 생신 축하해!

힌트 '생신'은 '생일'의 높임 표현으로, 친구나 아랫사람에게는 '생일', 윗사람에게는 '생신'이라고 말해요.

생신 → ☐ ☐

2
문장
고쳐쓰기

친구가 고쳐 쓴 문장 과 같이 알맞은 말을 넣어 문장을 고치고 따라 쓰세요.

친구가 고쳐 쓴 문장

지난 주말에 친구들이 내 생일잔치에 온다.
↓
지난 주말에 친구들이 내 생일잔치에 왔다.

힌트 '오다', '가다'가 과거를 나타낼 때에는 '왔다', '갔다'의 형태로 쓸 수 있어요.

| 지 | 난 | ∨ | 여 | 름 | ∨ | 방 | 학 | 에 | ∨ | 이 |
| 모 | ∨ | 댁 | 에 | ∨ | 간 | 다 | . | | | |

↓

| 지 | 난 | ∨ | 여 | 름 | ∨ | 방 | 학 | 에 | ∨ | 이 |
| 모 | ∨ | 댁 | 에 | ∨ | | | | | | |

◉ 다음은 겪은 일을 그림으로 그리고 글로 쓴 것입니다. 보기 의 내용 중 겪은 일이 잘 드러난 문장을 한 가지 골라 글을 완성해 보세요.

보기

집 앞에서 혼자 눈사람을 만들었다.

집 앞에 서 있는 눈사람에게 목도리를 둘러 주었다.

나무 옆에 서 있는 눈사람에게 양철 모자를 씌워 주었다.

 힌트 세 가지 내용 중 마음에 드는 것을 골라 보세요. 어떤 내용을 넣어도 모두 답이 될 수 있어요!

눈	이		펑	펑		오	던		작	년
겨	울		방	학	의		어	느		날	이
었	다	.								

밤톨
"헤헤헤. 달래도 노래 못하는데~."

달래
뭐라고? 그런데 왜 밤톨이는 큰따옴표를 쓴 거지?

글봇
큰따옴표를 쓰면 직접 한 말을 실감 나게 표현할 수 있기 때문이지.

어제 친구와 노래 연습을 하는데 친구가 이런 말을 하지 뭐예요?
"술술아, 너 노래 정말 못한다!"

꾸며 주는 말이나 따옴표를 사용해 겸은 일을 실감 나게 써라!

꾸며 주는 말이나 따옴표를 사용하면 겸은 일을 더 재미있고 생생하게 표현할 수 있어요.

뒤에 오는 사물의 이름, 동작이나 상태를 꾸며 주는 말을 넣고,

글쓴이의 생각은 작은따옴표(' '), 글쓴이가 직접 한 말이나 들은 말은 큰따옴표(" ")를

사용해 겸은 일을 실감 나게 써 보세요.

▶ 정답 및 해설 4쪽

● 사다리 타기를 하여 도착한 곳의 낱말을 따라 쓰며, 생활문을 실감 나게 쓰는 방법을 알아보아요.

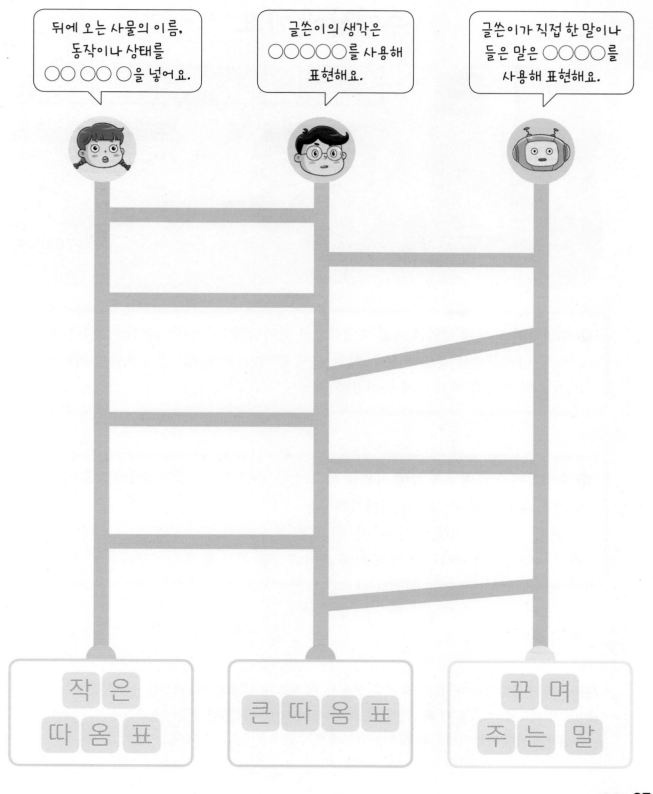

뒤에 오는 사물의 이름, 동작이나 상태를 ○○ ○○ ○을 넣어요.

글쓴이의 생각은 ○○○○○를 사용해 표현해요.

글쓴이가 직접 한 말이나 들은 말은 ○○○○를 사용해 표현해요.

작은 따옴표

큰 따옴표

꾸며 주는 말

○ 글 ❶는 글 ㉮를 실감 나게 고쳐 쓴 것입니다. 다음 두 글을 읽고, 아버지가 되어 수영장에서 겪은 일을 실감 나게 정리하여 쓰세요.

수영장에 가요

㉮ 수영장에 도착해 샤워를 하고 수영복으로 갈아입자마자 물에 뛰어들 준비를 했다. 그러자 아버지께서 준비 운동을 하고 물에 들어가야 한다고 말씀하셔서 팔다리를 펴며 준비 운동을 하고 물에 들어갔다.

❶ 수영장에 헐레벌떡 도착해 샤워를 하고 빨간 수영복으로 갈아입자마자 물에 풍덩 뛰어들 준비를 했다. 그러자 아버지께서

　"준비 운동을 하고 물에 들어가야 한단다."

라고 말씀하셔서 팔다리를 쭉쭉 펴며 준비 운동을 하고 물에 들어갔다.

🐭 어휘 풀이

▼ **샤워**　소나기처럼 뿜어 내리는 물로 몸을 씻는 일. 예 외출 후 집에 돌아와 깨끗이 샤워를 했다.

▼ **준비 운동**|법도 준 準, 갖출 비 備, 운전할 운 運, 움직일 동 動|　본격적인 운동이나 경기를 하기 전에, 몸을 풀기 위하여 하는 가벼운 운동. 예 마라톤을 하기 전에 준비 운동을 했다.

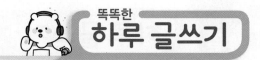
낱말 쓰기

1
단계

다음은 이 글의 겪은 일을 아버지께서 떠올린 것입니다. 보기 에서 알맞은 말을 골라 빈칸에 각각 쓰세요.

> 보기
>
> 헐레벌떡　　　느릿느릿　　　준비 운동　　　운동 경기

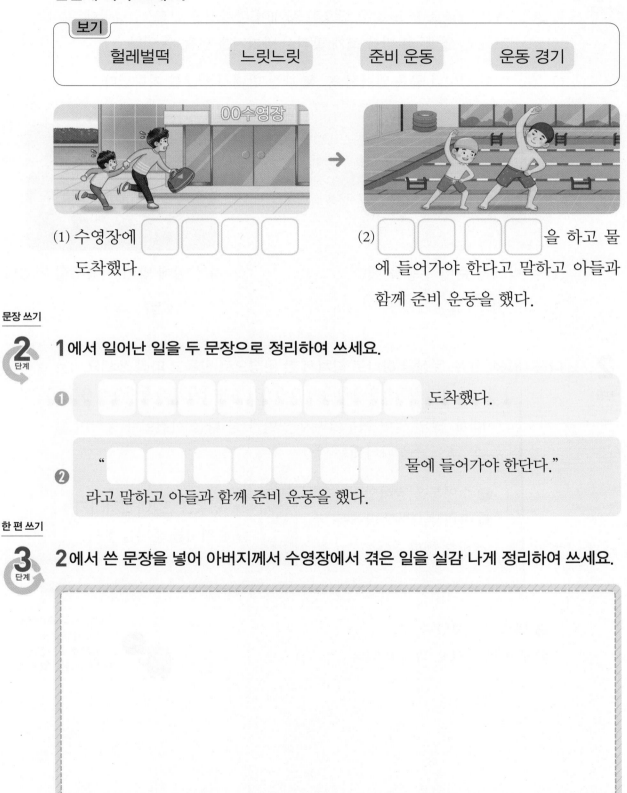

(1) 수영장에 □□□□ 도착했다.

(2) □□□□ 을 하고 물에 들어가야 한다고 말하고 아들과 함께 준비 운동을 했다.

문장 쓰기

2
단계

1에서 일어난 일을 두 문장으로 정리하여 쓰세요.

❶ □□□□□□□□□ 도착했다.

❷ "□□□□□□□ 물에 들어가야 한단다."
라고 말하고 아들과 함께 준비 운동을 했다.

한 편 쓰기

3
단계

2에서 쓴 문장을 넣어 아버지께서 수영장에서 겪은 일을 실감 나게 정리하여 쓰세요.

> [빈 답안란]

1 두 낱말의 뜻과 예를 보고, 문장의 밑줄 그은 낱말을 각각 바르게 고쳐 쓰세요.

낱말
고쳐쓰기

> 박 속은 나물로 먹고 겉은 반으로 쪼개어 바가지를 만드는, 덩굴에 열리는 크고 둥근 열매. 예 박을 쪼개 말려서 바가지를 만들 수 있다.
>
> 밖 어떤 선이나 금을 넘어선 쪽. 예 대문 밖에서 친구를 기다렸다.

(1) 물 박에서 준비 운동을 했다.

 → [　]

(2) 지붕 위에 밖이 주렁주렁 열렸다.

밖 → [　]

2 다음 내용처럼 두 문장을 하나로 합쳐서 한 문장으로 만들고 따라 쓰세요.

문장
고쳐쓰기

-자마자 앞의 일이 이루어지자 잇따라 곧 다음 사건이나 동작이 일어남을 나타내는 말.

❶ 수영복을 갈아입었다.
❷ 곧바로 물에 뛰어들 준비를 했다.

→

수영복을 갈아입자마자 물에 뛰어들 준비를 했다.

❶ 떡볶이를 보았다.
❷ 곧바로 포크로 찍어 먹었다.

 힌트 '보았다'와 '곧바로'를 '보자마자'라고 합치면 두 문장을 하나로 만들 수 있어요.

↓

| 떡 | 볶 | 이 | 를 | V | | | | | | V | 포 |
| 크 | 로 | V | 찍 | 어 | V | 먹 | 었 | 다 | . | | |

● 다음 친구가 쓴 문장 과 같이 꾸며 주는 말을 두 가지 이상 사용하여 겪은 일을 나타낸 문장을 실감 나게 고쳐 쓰세요.

친구가 쓴 문장

아버지께서 어제 저녁에 팬케이크를 구워 주셔서 먹었다.

↓

아버지께서 어제 저녁에 달콤한 팬케이크를 구워

주셔서 냠냠 먹었다.

음악 시간에 친구들과 함께 악기를 연주했다.

↓

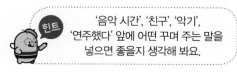

힌트 '음악 시간', '친구', '악기', '연주했다' 앞에 어떤 꾸며 주는 말을 넣으면 좋을지 생각해 봐요.

생각이나 느낌 쓰기

생활문에 자신의 생각이나 느낌을 써라!

생활문에 자신이 겪은 일을 자세하고 실감 나게 쓴 후,

그때에 어떤 마음이 들었는지, 왜 그런 마음이 들었는지

생각해서 자신의 생각이나 느낌을 써요.

자신의 마음을 쓸 때에는 솔직하게 써야 한답니다.

● 그림에 맞는 퍼즐 모양을 찾아 ○표를 하고, 생활문에 자신의 생각이나 느낌을 쓰는 방법에 맞게 빈칸에 공통으로 들어갈 말을 알아보아요.

1
주

그때에 어떤 ○○이 들었는지, 왜 그런 ○○이 들었는지 생각해요.

장소

시간

마음

 생활문에 자신의 생각이나 느낌을 쓰는 방법을 생각하며 다음 문장을 따라 쓰세요.

벚	꽃	이	V	꼭	V	솜	사	탕	V	같
아	서	V	달	콤	한	V	맛	이	V	날	V
것	V	같	았	다	.

생각이나 느낌 쓰기

○ 다음을 보고, 차례에 따라 겪은 일에 대한 생각이나 느낌을 써 보세요.

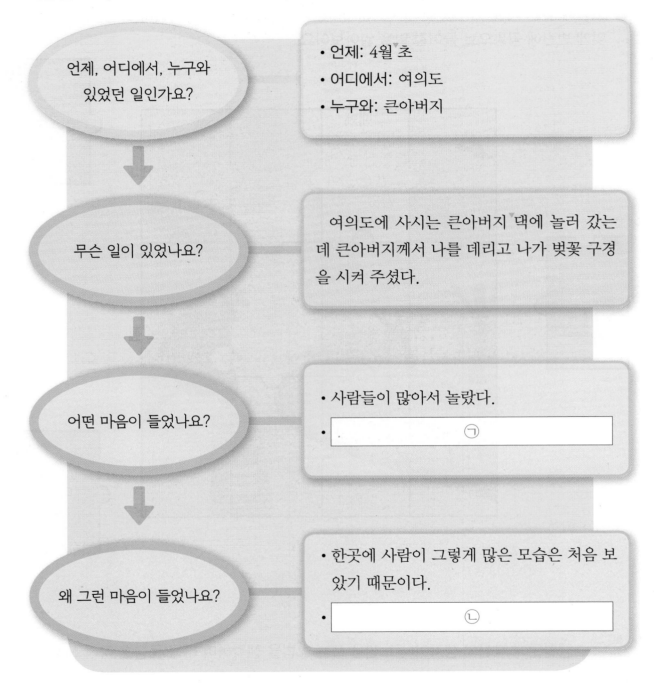

언제, 어디에서, 누구와 있었던 일인가요?

- 언제: 4월 초
- 어디에서: 여의도
- 누구와: 큰아버지

무슨 일이 있었나요?

여의도에 사시는 큰아버지 댁에 놀러 갔는데 큰아버지께서 나를 데리고 나가 벚꽃 구경을 시켜 주셨다.

어떤 마음이 들었나요?

- 사람들이 많아서 놀랐다.
- ㉠

왜 그런 마음이 들었나요?

- 한곳에 사람이 그렇게 많은 모습은 처음 보았기 때문이다.
- ㉡

🐭 어휘 풀이

▼초|처음 초 初|　어떤 기간의 처음이나 초기. 예) 학기 초에 짝을 새로 정했다.

▼댁|집 댁 宅|　남의 집이나 가정을 높여 이르는 말. 예) 할아버지 댁에 갔다.

낱말 쓰기

1단계

다음 그림을 보고, ☐⃝ 안에 들어갈 마음은 무엇일지 빈칸에 알맞은 말을 쓰세요.

벚꽃 꽃잎이 흩날리는 모습이 신기했어!

| ㅂ | ㄲ | ㄲ | ㅇ | 이 흩날리는 모습

이 신기했다.

문장 쓰기

2단계

1에서 답한 마음에 대해 왜 그런 마음이 들었는지 ☐⃝ 안에 들어갈 내용으로 알맞은 말을 보기 에서 골라 쓰세요.

보기

> 비가 오는 것 같았기   땅을 파는 것 같았기

벚꽃 꽃잎이 흩날리는 모습이 마치 ☐☐☐☐☐☐☐

☐ 때문이다.

한 편 쓰기

3단계

1과 **2**에서 완성한 문장을 넣어 생활문에 들어갈 생각이나 느낌을 쓰세요.

	벚	꽃	∨					∨				∨
			∨	신	기	했	다	.	벚	꽃	∨	
꽃	잎	이	∨					∨				∨
마	치	∨			∨				∨			∨
		∨										

▶ 정답 및 해설 5쪽

1
낱말
고쳐쓰기

다음 (친구가 쓴 문장) 에서 **차마** 를 알맞은 낱말로 고쳐 쓰려고 합니다. (보기) 에서 알맞은 낱말을 골라 고쳐 쓰세요.

보기

마치 거의 비슷하게.

비록 아무리 그러하더라도.

부디 남에게 청하거나 부탁할 때 바라는 마음이 간절함을 나타내는 말.

친구가 쓴 문장

벚꽃 꽃잎이 흩날리는 모습이 **차마** 비가 오는 것 같았다.

↓

벚꽃 꽃잎이 흩날리는 모습이 ☐☐ 비가 오는 것 같았다.

 힌트 '차마'는 '부끄럽거나 안타까워서 감히.'라는 뜻이라서 이 문장에는 어울리지 않아요. '~같다'와 함께 쓰일 수 있는 낱말을 찾아 써 보세요.

2
문장
고쳐쓰기

다음 밑줄 그은 부분을 바르게 고치고 문장을 따라 쓰세요.

사람들이 이러케 마는 모습은 처음 보았어.

사	람	들	이	V					V			V
모	습	은	V	처	음	V	보	았	어	.		

1주

● 보기의 내용 중 생각이나 느낌이 잘 드러난 문장을 한 가지 골라 생활문을 완성해 보세요.

전학을 왔어요

　새 학기가 시작되는 날에 맞추어 새로운 학교로 전학을 왔다.
　선생님께서는 반 아이들에게
"전학 온 친구와 친하게 지내도록 해요."
라고 말씀하시고는 짝을 정해 주셨다. 새로운 내 짝은 키가 조금 작고 안경을 쓴 여자
아이였다. 짝이 먼저 나에게 인사를 해 주었다.

보기

아직은 모든 것이 어색해 옛 학교와
친구들이 그립다.

친절한 짝 덕분에 새로운 학교에서의
생활이 너무 기대된다.

힌트 어떤 내용을 넣어도 모두 답이 될 수 있어요!
자신의 마음은 솔직하게 써야 해요.

자신이 겪은 일로 생활문을 써라!

자신이 겪은 일 중에서 인상 깊은 일을 떠올려 생활문을 써 볼 수 있어요.

생활문을 쓸 때에는 언제, 어디에서, 누구와 있었던 일인지,

무슨 일이 있었는지 떠올려 인상 깊은 일을 구체적으로 정리해서 써요.

마지막으로 어떤 마음이 들었고 왜 그런 마음이 들었는지 솔직하게 쓰면 된답니다.

▶ 정답 및 해설 6쪽

● 사다리 타기를 하여 도착한 곳의 낱말을 따라 쓰며, 자신이 겪은 일로 생활문을 쓰는 방법을 알아보아요.

언제, ○○에서, 누구와 있었던 일인지 떠올려 써요.

○○ 깊은 일을 구체적으로 정리해요.

자신의 마음을 ○○하게 써요.

인 상

어 디

솔 직

● 솔지가 쓴 다음 글을 읽고, 동생 민규가 되어 생활문에 들어갈 내용을 쓰세요.

샌드위치를 만들어요

지난주 토요일에 아버지께서

"점심때 먹을 샌드위치를 같이 만들어 보는 것이 어떠니?"

라고 물어보셨다. 나와 동생 민규는 샌드위치 만들기가 재미있을 것 같아 ▾동시에

"좋아요!"

하고 외쳤다. 냉장고에서 식빵, 양상추, 치즈, 햄, 토마토 등을 꺼냈다. 식빵 사이에 먹고 싶은 ▾재료를 하나하나 쌓으니 어느새 샌드위치가 완성되었다. ▾먹음직스러운 샌드위치를 보니 배에서 꼬르륵 소리가 나 아버지께서 웃으셨다. 우리는 함께 샌드위치를 나누어 먹었다.

비록 조금 삐뚤삐뚤하게 쌓아 올린 샌드위치지만 직접 만들어서 그런지 정말 맛있었다. 가족과 함께 웃으며 보낼 수 있어 행복한 주말이었다. 다음에 또 만들고 싶다.

솔지 / 민규

🐭 어휘 풀이

▾**동시**│같을 동 同, 때 시 時│ 같은 때나 시기. 예 오빠와 나는 동시에 자리에서 일어났다.

▾**재료**│재목 재 材, 되질할 료 料│ 물건을 만드는 데 쓰이는 것. 예 책상을 만들 재료를 준비했다.

▾**먹음직스러운** 음식이 먹고 싶은 마음이 들 정도로 맛있어 보이는. 예 먹음직스러운 탕수육이 놓여 있다.

▶ 정답 및 해설 6쪽

낱말 쓰기

1 단계

다음 그림을 보고, 민규가 겪은 일로 알맞은 말을 빈칸에 쓰세요.

가족과 함께 해서 즐거워!

샌드위치 맛있다.

(1) 지난주 토요일에 ㄱ ㅈ 과 함께 샌드위치를 만들었다.

(2) 직접 만든 ㅅ ㄷ ㅇ ㅊ 를 나누어 먹었다.

문장 쓰기

2 단계

1에서 답한 일을 두 문장으로 정리하여 쓰세요.

❶ ☐☐☐☐☐☐ 에 ☐☐ 함께 ☐☐ ☐☐☐ 만들었다.

❷ ☐☐☐☐☐☐☐☐☐ 나누어 먹었다.

한 편 쓰기

3 단계

민규가 생활문에 쓸 수 있는 생각이나 느낌을 보기 에서 골라 쓰세요.

보기

샌드위치가 너무 커서 먹기 힘들었다.

누나가 만든 샌드위치가 더 예뻐서 부러웠다.

다음에는 참치가 들어간 샌드위치를 만들고 싶다.

1 낱말 고쳐쓰기

밑줄 그은 낱말들은 모두 같은 낱말로 고쳐 쓸 수 있습니다. 잘못 사용한 낱말을 바르게 고쳐 쓰세요.

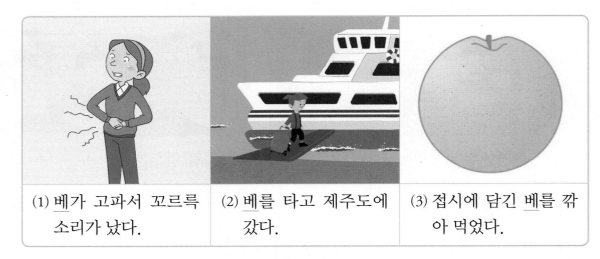

(1) <u>베</u>가 고파서 꼬르륵 소리가 났다.

(2) <u>베</u>를 타고 제주도에 갔다.

(3) 접시에 담긴 <u>베</u>를 깎아 먹었다.

베 → [　　]

2 문장 고쳐쓰기

◀ 친구가 고쳐 쓴 문장 ▶ 과 같이 알맞은 말을 넣어 문장을 고치고 따라 쓰세요.

┌ 친구가 고쳐 쓴 문장 ─

<u>비록</u> 조금 삐뚤삐뚤하게 쌓아 올린 <u>샌드위치를</u> 직접 만들어서 그런지 정말 맛있었다.

↓

<u>비록</u> 조금 삐뚤삐뚤하게 쌓아 올린 <u>샌드위치지만</u> 직접 만들어서 그런지 정말 맛있었다.

힌트 '비록'은 '-지만' 등과 같이 쓰여요.

비	록	∨	종	이	로	∨	만	든	∨	새
를	∨	진	짜	∨	같	았	다	.		

↓

| 비 | 록 | ∨ | 종 | 이 | 로 | ∨ | 만 | 든 | ∨ | |
| | ∨ | 진 | 짜 | ∨ | 같 | 았 | 다 | . | | |

● 자신이 오늘 하루 동안 겪은 일 중 한 가지를 떠올려 생활문 한 편을 써 보세요.

힌트　먼저 있었던 일을 구체적으로 실감 나게 쓰고, 어떤 마음이 들었는지,
왜 그런 마음이 들었는지 써 보세요. 그림을 같이 그려 봐도 좋아요.

생활 어휘 다음 만화를 보며 속담의 뜻을 알아보고, 상황에 맞게 속담을 써 보세요.

한 귀로 듣고 한 귀로 흘린다

속담의 뜻을 알아봐요!

한 귀로 듣고 한 귀로 흘린다

이 속담은

"남의 말을 귀담아듣지 않는다." 라는 뜻이랍니다.

이제 이 속담을 넣어 상황에 맞게 써 볼까요?

"☐☐☐☐☐☐☐☐☐☐☐"라는 말처럼 수업 시간에 선생님 말씀을 귀담아듣지 않았더니 시험 문제를 모두 틀렸어.

● 밑줄 그은 낱말이 바르게 사용되었으면 ○, 바르게 사용되지 <u>않았으면</u> ×의 길을 갈 수 있어요. 엄마가 잃어버린 아이를 무사히 만날 수 있도록 길을 찾아보세요.

 창의 1주에 나왔던 **낱말이 바르게 사용**되었는지 확인하며 길을 찾아봅니다.

◎ 아빠와 아들이 수영장에 가서 수영 시합을 했어요. 두 사람이 3분에 몇 미터를 갈 수 있는지 빈칸에 알맞은 숫자를 각각 쓰고, 3분 뒤 더 멀리까지 갈 수 있는 사람에 ○표를 하세요.

$$40 \times 3 =$$ $$45 \times 3 =$$

아들은 3분에 ☐ 미터, 아빠는 3분에 ☐ 미터를 갈 수 있어요. 그러므로

3분 뒤 더 멀리까지 갈 수 있는 사람은 (아들 , 아빠)이에요.

융합
국어+수학   수영장에 갔던 경험을 떠올려 보고, (두 자릿수)×(한 자릿수)의 곱셈도 해 봅니다.

● 봄에는 여러 가지 꽃이 피어요. 봄에 피는 꽃은 무엇이 있는지 다음 사진을 보고, 보기 에서 알맞은 이름을 골라 쓰세요.

하얀 꽃은 목련화야.

개나리는 노란색 꽃이야.

진달래는 진분홍색이지!

벚꽃

보기

목련화   개나리   진달래

(1) ☐ ☐ ☐   (2) ☐ ☐ ☐   (3) ☐ ☐ ☐

 융합 국어+과학   벚꽃을 보러 갔던 경험을 떠올리며 벚꽃과 같이 **봄에 피는 꽃**에는 무엇이 있는지 알아봅니다.

◉ 솔지가 샌드위치를 더 만들 식빵을 사기 위해 빵 가게에 가려고 해요. 솔지가 빵 가게에 무사히 도착할 수 있도록 알맞은 코딩 명령에 ◯표를 하세요.

솔지

> 샌드위치를 더 만들고 싶은데 식빵이 떨어졌네. 식빵을 사러 빵 가게에 가야지.

1 주

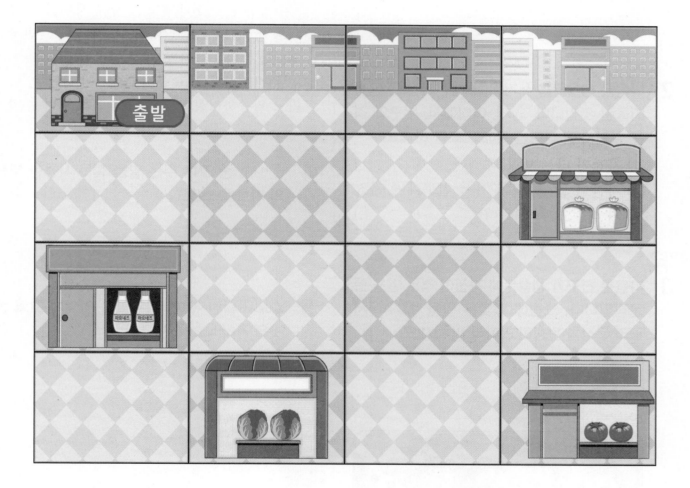

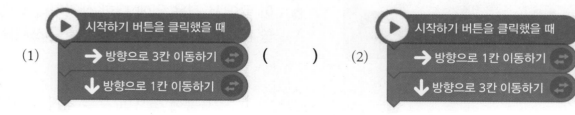

(1) ▶ 시작하기 버튼을 클릭했을 때
→ 방향으로 3칸 이동하기 ⇄   (   )
↓ 방향으로 1칸 이동하기 ⇄

(2) ▶ 시작하기 버튼을 클릭했을 때
→ 방향으로 1칸 이동하기 ⇄   (   )
↓ 방향으로 3칸 이동하기 ⇄

 코딩   빵 가게까지 길을 찾아가기 위한 알맞은 **코딩 명령**을 떠올려 봅니다.

1 생활문에 대하여 알맞게 말한 친구의 이름을 쓰세요.

> 기찬: 생활문은 자신이 겪은 일 중에 한 가지를 떠올려 쓴 글이야.
>
> 밤톨: 생활문은 책을 읽고 난 뒤에 자신의 생각이나 느낌을 쓴 글이야.

(   )

2 다음은 생활문을 쓰기 위해 자신이 겪은 일을 떠올린 것입니다. 언제, 어디에서, 누구와 겪은 일인지 잘 나타난 것에 ○표를 하세요.

(1) 자전거 타는 법을 배웠다. (   )

(2) 지난 주말, 공원에 가서 친구에게 자전거 타는 법을 배웠다. (   )

글쓰기

3 다음은 친구가 생활문에 자신이 겪은 일을 쓴 문장입니다. 그림에 알맞은 말을 보기 에서 골라 문장을 완성하고 따라 써 보세요.

> **보기**
>
> 생일 축하 노래   졸업 축하 편지

친	구	들	이	V		
			V		를	V	불
러	V	주	었	다	.	

[4~6] 다음 글을 읽고, 물음에 답하세요.

수영장에 ㉠헐레벌떡 도착해 샤워를 하고 ㉡빨간 수영복으로 갈아입자마자 물에 ㉢반짝 뛰어들 준비를 했다. 그러자 아버지께서 "준비 운동을 하고 물에 들어가야 한단다." 라고 말씀하셔서 팔다리를 ㉣쭉쭉 펴며 준비 운동을 하고 물에 들어갔다.

4 ㉠~㉣ 중 꾸며 주는 말을 <u>잘못</u> 사용한 부분의 기호를 쓰세요.

(   )

5 4에서 답한 꾸며 주는 말을 알맞게 고쳐 쓴 것을 골라 따라 쓰세요.

핑	핑
풍	덩

글쓰기

6 이 글에서 겪은 일에 대한 생각이나 느낌을 쓸 때에 빈칸에 알맞은 문장 부호를 쓰세요.

> 첨벙첨벙 수영을 하며
>
> ☐ 물속에 있으면 모든 걱정이 사라지는 것 같아 ☐
>
> 라고 생각했다.

7 생활문에 들어갈 생각이나 느낌을 쓰는 방법을 바르게 말한 친구의 이름에 ○표를 하세요.

> 자신의 마음을 솔직하게 써야 해.

글봇

> 기쁘고 행복했던 마음만 쓰는 것이 좋아.

판판

8 다음 생활문을 실감 나게 쓴 방법으로 알맞은 것에 ○표를 하세요.

> 지난주 토요일에 아버지께서
> "점심때 먹을 샌드위치를 같이 만들어
> 보는 것이 어떠니?"
> 라고 물어보셨다. 나와 동생 민규는 샌드
> 위치 만들기가 재미있을 것 같아 동시에
> "좋아요!"
> 하고 외쳤다.

(1) 어머니께서 생각하신 내용을 작은따옴표를 사용해 표현했다. (   )

(2) 글쓴이가 직접 한 말이나 들은 말을 큰따옴표를 사용해 표현했다. (   )

[9~10] 다음 글을 읽고, 물음에 답하세요.

(가)

무슨 일이 있었나요?	가족과 함께 샌드위치를 만들었다.
어떤 마음이 들었나요?	• 샌드위치가 정말 맛있었다. • 행복했다. • 또 만들고 싶다.
왜 그런 마음이 들었나요?	• 직접 만들었기 때문이다. • 가족과 함께 웃으며 시간을 보냈기 때문이다.

(나) ㉠비록 조금 삐뚤삐뚤하게 쌓아올린 샌드위치지만 직접 만들어서 그런지 정말 맛없었다. ㉡가족과 함께 웃으며 보낼 수 있어 행복한 주말이었다. ㉢다음에 또 만들고 싶다.

9 글 (나)는 (가)의 내용을 바탕으로 생활문에 들어갈 생각이나 느낌을 쓴 부분입니다. 잘못 쓴 문장의 기호를 쓰세요.

(   )

10 (가)의 내용을 바탕으로 9에서 답한 문장을 바르게 고쳐 쓰세요.

• 비록 조금 삐뚤삐뚤하게 쌓아 올린 샌드위치지만 직접 만들어서 그런지 정말 ▢

 .

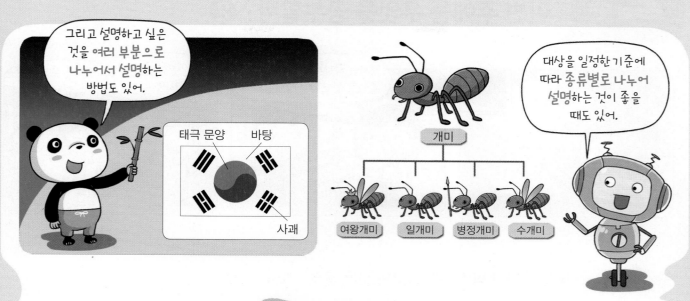

그리고 설명하고 싶은 것을 여러 부분으로 나누어서 설명하는 방법도 있어.

태극 문양   바탕

사과

대상을 일정한 기준에 따라 종류별로 나누어 설명하는 것이 좋을 때도 있어.

개미

여왕개미   일개미   병정개미   수개미

네가 가장 좋아하는 것을 정해서 설명하는 글을 쓰면 잘 쓸 수 있을 거야.

나는 지구의 모든 것이 좋아!

그럼 우리 지구의 모든 것들을 바밤별 사람들에게 잘 알려 줘.

설명하는 글을 써 보자!

1일 대상이 무엇인지 설명하기

2일 예를 들어 설명하기

3일 여러 부분으로 나누어 설명하기

4일 종류별로 나누어 설명하기

5일 설명하는 글 쓰기

1-1 벌을 설명한 방법으로 알맞은 것을 골라 ○표를 하세요.

벌은 무리를 이루며 사는 곤충이다.

(1) 대상을 '무엇은 무엇이다'라고 설명했다.

(   )

(2) 대상을 다른 것에 빗대어 '무엇은 무엇 같다'라고 설명했다. (   )

1-2 다음 중 사과를 '무엇은 무엇이다'라고 알맞게 설명한 것을 골라 따라 쓰세요.

• 사과는 붉은 보석 같다.

• 사과는 사과나무의 열매 이다.

▶ 정답 및 해설 9쪽

2-1 다음 글에 쓰인 설명 방법을 골라 ○표를 하세요.

> 전 세계 사람들은 다양한 방법으로 인사를 나눈다. 예를 들어, 에스키모들은 서로 마주 보며 코를 비비고, 프랑스 사람들은 뺨을 번갈아 대며 '쪽' 소리를 낸다.

(1) 자세한 예를 들어 설명했다. ( )

(2) 설명하는 대상을 여러 부분으로 나누어 설명했다. ( )

(3) 설명하는 대상을 일정한 기준에 따라 종류별로 나누어 설명했다. ( )

2-2 다음 설명하는 글의 빈칸에 들어갈 말로 알맞은 것을 골라 따라 쓰세요.

> 몸에 달린 아기 주머니에서 새끼를 기르는 동물이 있습니다. ⬜⬜⬜⬜, 캥거루, 코알라, 주머니쥐 등이 아기 주머니를 가지고 있습니다. 이 동물들은 덜 자란 채 태어난 새끼들을 아기 주머니에 넣어 키웁니다.

왜 냐 하 면   예 를 들 어

1일 대상이 무엇인지 설명하기

밤톨
설명이 귀에 쏙쏙 들어오네.

기찬
대상을 '무엇은 무엇이다'라고 알기 쉽게 정리했어.

달래
떡볶이의 뜻을 밝혀 말했어.

떡볶이에 대해 설명해 줄게요.
떡볶이는 적당한 크기로 자른 가래떡을 여러 가지 채소와 함께 양념에 볶은 음식입니다.

설명하는 대상이 무엇인지 알기 쉽게 설명해라!

설명하는 글은 어떤 대상에 대해 알기 쉽게 풀어서 쓴 글이에요.

설명하는 대상을 알기 쉽게 표현하기 위해 여러 가지 설명 방법을 사용할 수 있어요.

먼저, 설명하는 대상에 대해서 '무엇은 무엇이다'라고 설명해 봐요.

설명하는 대상이 무엇인지 설명하는 대상의 뜻을 밝혀 쓰면 돼요.

● 그림에 맞는 퍼즐 모양을 찾아 ○표를 하고, 대상을 어떤 방법으로 설명하였는지 알아보아요.

자세한 예를
들어 설명함.

대상을 '무엇은
무엇이다'라고
설명함.

김치는 소금에
절인 채소를
양념에 버무린
음식이다.

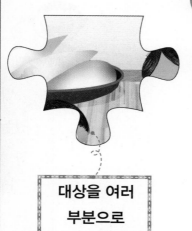

대상을 여러
부분으로
나누어 설명함.

 대상을 설명하는 방법을 생각하며 문장을 따라 쓰세요.

김	치	는	V	소	금	에	V	절	인	V
채	소	를	V	양	념	에	V	버	무	린	V
음	식	이	다	.						

1일 대상이 무엇인지 설명하기

● 밤톨이의 설명하는 글을 읽고, 딱지치기가 무엇인지 설명하는 글을 쓰세요.

딱지치기

내가 딱지치기에 대해 설명하는 글을 써 봤어.

처음 부분에 딱지치기에 대해 '무엇은 무엇이다'라고 설명하는 말이 있었으면 좋겠어.

딱지치기는 딱지만 있으면 언제 어디서나 쉽게 할 수 있는 놀이로, 두 명만 모여도 놀 수 있다. 하지만 함께 할 친구들이 많은 편이 더 재미있다.

딱지치기를 하는 방법은 간단하다. 먼저 가위바위보를 해서 진 사람이 바닥에 자기 딱지를 내려놓는다. 그러면 이긴 사람이 자기 딱지로 상대 딱지를 힘껏 내리친다. 이때 상대 딱지가 뒤집히면 딱지를 가져간다. 만약 상대의 딱지가 뒤집히지 않으면 치는 순서를 바꾼다.

🐹 어휘 풀이

▼ **딱지** 아이들이 가지고 노는 장난감의 하나. 종이를 네모나게 접어 만들거나, 두꺼운 종이쪽에 그림을 그리거나 글을 쓴 것으로, 종류와 노는 법이 여러 가지가 있다.

▼ **만약**|일만 만 萬, 같을 약 若| 혹시 있을지도 모르는 뜻밖의 경우.
  예 만약 내가 돌아오지 않으면 먼저 집에 가라.

▲ 딱지

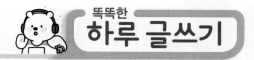
낱말 쓰기

다음 보기 에서 딱지치기에 대한 설명에 알맞은 낱말을 골라 빈칸에 각각 쓰세요.

보기

구슬　　　딱지　　　뒤집는　　　붙이는

(1) 딱지치기는 종이를 접어 만든 □□ 로 하는 놀이이다.

(2) 딱지치기는 바닥에 놓은 상대의 딱지를 쳐서 □□□ 놀이이다.

2주

문장 쓰기

1의 내용을 바탕으로 딱지치기가 어떤 놀이인지 한 문장으로 쓰세요.

딱지치기는 종이를 접어 만든 □□ 로 바닥에 놓은 상대의 □□ □□□□□ 놀이이다.

한 편 쓰기

2에서 완성한 문장을 넣어 딱지치기에 대해 '무엇은 무엇이다'라고 설명하는 글을 쓰세요.

딱	지	치	기	는	∨			∨
	∨			∨		로	∨ 바	닥 에 ∨
놓	은	∨			∨			∨
	∨			∨		이	다	.

1일 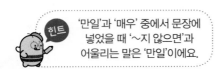 똑똑한 하루 글쓰기 고쳐쓰기

▶ 정답 및 해설 9쪽

1
낱말 고쳐쓰기

다음 보기 에서 밑줄 그은 낱말 대신 바꿔 쓰기에 알맞은 낱말을 골라 바꿔 써 보세요.

> **보기**
>
> **매우** 보통 정도보다 훨씬 더.
>
> **만일** 혹시 있을지도 모르는 뜻밖의 경우에.

> **힌트** '만일'과 '매우' 중에서 문장에 넣었을 때 '~지 않으면'과 어울리는 말은 '만일'이에요.

<u>만약</u> 상대의 딱지가 뒤집히지 않으면 치는 순서를 바꿉니다.

↓

☐ ☐ 상대의 딱지가 뒤집히지 않으면 치는 순서를 바꿉니다.

2
문장 고쳐쓰기

다음 친구가 쓴 글 처럼 두 문장을 하나로 합쳐서 한 문장으로 만들어 쓰세요.

> **친구가 쓴 글**
>
> ❶ 나는 초등학교 **학생이다.** ❷ **하지만** 아직 구구단을 외우지는 못한다.
>
> ↓
>
> 나는 초등학교 **학생이지만** , 아직 구구단을 외우지는 못한다.

> ❶ 딱지치기는 두 명만 모여도 놀 수 **있다.**
>
> ❷ **하지만** 함께 할 친구들이 많은 편이 더 재미있다.

↓

딱지치기는 두 명만 모여도 놀 수 ☐☐☐ , 함께 할 친구들이 많은 편이 더 재미있다.

● 다음 그림을 보고, 제기차기에 대해 '무엇은 무엇이다'라고 설명하는 말을 써 넣어 글을 완성하세요.

제기차기

제	기	차	기	는			

　　제기를 차는 방법은 여러 가지가 있다. 땅을 디뎌 가며 한 발로 차는 것을 '맨제기', 발을 딛지 않고 차는 것을 '헐렁차기', 두 발로 번갈아 차는 것을 '양발차기'라고 한다.
　　제기차기를 계속하다 보면 다리 힘도 길러지고, 몸의 중심을 잡는 연습도 된다.

 힌트　제기차기를 무엇이라고 설명하면 좋을지 생각해 보세요. 어떤 종류의 놀이인지를 설명해도 되고, 어떻게 하는 놀이인지를 설명해도 돼요.

예를 들어 설명하기

기찬
나 치킨이 너무 먹고 싶어!

밤톨
나는 닭볶음탕이랑 찜닭!

달래
자세한 예를 들어 설명해 주니까 더 먹고 싶어졌어.

닭으로 만들 수 있는 맛있는 요리가 무척 많아요. 예를 들어, 치킨이나 닭볶음탕, 찜닭 등이 있어요.

읽는 이의 이해를 돕기 위해 예를 들어 대상을 설명해라!

자세한 예를 들어 대상을 설명할 수 있어요.

예를 들어 설명할 때에는 '예를 들어, 예컨대' 같은 말을 사용하고,

설명하고자 하는 대상과 관계있는 예를 들어 보임으로써

읽는 이의 이해를 도울 수 있어요.

▶ 정답 및 해설 10쪽

◉ 사다리 타기를 하여 도착한 곳의 낱말을 따라 쓰며, 자세한 예를 들어 설명하는 글을 쓰는
방법을 알아보아요.

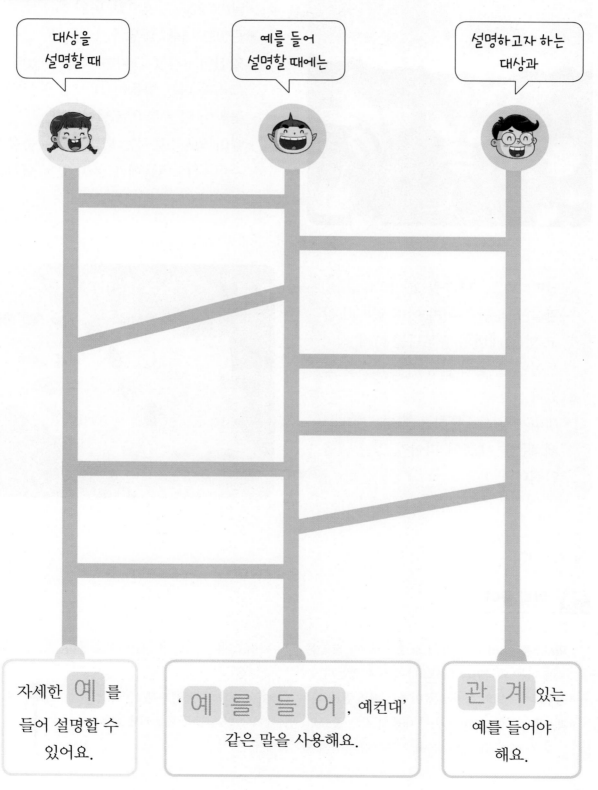

2
주

2일 예를 들어 설명하기

● 다음 글을 읽고, 알맞은 예를 들어 설명하는 글을 쓰세요.

- 날짜: 20○○년 7월 16일
- 관찰한 내용: 꽃밭에서 돌아온 벌이 열심히 8자를 그리며 춤을 추었다. 그러자 다른 벌들이 그 모습을 보고 꽃밭이 있는 쪽으로 날아갔다.
- 벌이 ▾의사소통하는 방법: 벌은 춤을 추어 다른 벌들에게 꿀이 있는 곳을 알린다.

- 날짜: 20○○년 7월 20일
- 관찰한 내용: 먹이가 어디 있는지 알고 있는 개미의 ▾꽁무니를 따라 개미들이 줄을 맞춰 길을 가는 모습을 보았다.
- 개미가 의사소통하는 방법: 개미는 ▾페로몬을 내뿜어 먹이가 있는 곳을 알린다.

🐻 어휘 풀이

▾**의사소통**| 뜻 의 意, 생각 사 思, 트일 소 疏, 통할 통 通| 가지고 있는 생각이나 뜻이 서로 통함.
　　예 나는 외국인과 의사소통이 되지 않는다.
▾**꽁무니**　동물의 등마루를 이루는 뼈의 끝이 되는 부분이나 곤충의 배 끝부분.
▾**페로몬**　동물, 특히 곤충이 내뿜어 같은 종류의 생물에게 어떤 행동을 일으키게 하는
　　물질. 예 박쥐는 페로몬을 이용하여 자신의 새끼를 찾는다.

꽁무니 ▶

낱말 쓰기

1 다음은 곤충이 특별한 방법으로 의사소통하는 모습을 정리한 것입니다. 빈칸에 들어갈 알맞은 말을 각각 쓰세요.

(1) 벌은 ㅊ 을 추어 다른 벌들에게 꿀이 있는 곳을 알린다.

(2) 개미는 ㅍ ㄹ ㅁ 을 내뿜 어 먹이가 있는 곳을 알린다.

문장 쓰기

2 **1**의 내용을 바탕으로 곤충이 특별한 방법으로 의사소통하는 예를 두 문장으로 정리하여 쓰세요.

❶ 벌은 ☐☐☐☐ 다른 벌들에게 꿀이 있는 곳을 알린다.

❷ 개미는 ☐☐☐☐☐☐☐ 먹이가 있는 곳을 알린다.

한 편 쓰기

3 **2**에서 완성한 문장을 넣어 다음 설명하는 글을 완성하세요.

곤충은 특별한 방법으로 의사소통을 한다. 예를 들어, ❶ _____

_____

그리고 ❷ _____

_____

▶ 정답 및 해설 10쪽

1
낱말
고쳐쓰기

친구가 쓴 글 에서 예를 들어 라는 말을 뜻이 비슷한 다른 낱말로 고쳐 쓰려고 합니다. 보기 에서 뜻이 비슷한 낱말을 골라 바꿔 써 보세요.

보기

예컨대   그런데

힌트
예를 들어 설명할 때에는 앞에 '예를 들면, 예컨대' 같은 말을 사용해요.

친구가 쓴 글

곤충은 특별한 방법으로 의사소통을 한다. 예를 들어 , 벌은 춤을 추어서 의사소통을 한다.

↓

곤충은 특별한 방법으로 의사소통을 한다. ☐☐☐ , 벌은 춤을 추어서 의사소통을 한다.

2
문장
고쳐쓰기

다음 남자아이의 말에서 밑줄 그은 부분을 바르게 고치고, 문장을 따라 쓰세요.

벌이 열심이 춤을 추고 있어.

[열씸히]는 마지막 글자가 [히]로 소리 나니까 '열심'에 '-히'를 붙여 써야 해.

벌	이	V				V	춤	을	V	추
고	V	있	어	.						

● 다음 설명하는 글에 들어갈 예로 알맞은 것을 보기 에서 찾아 쓰세요.

보기

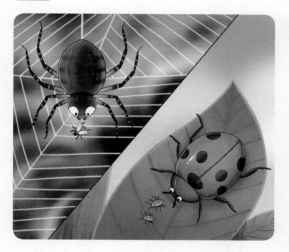

모기나 파리를 잡아먹는 거미가 있고, 농작물에 피해를 주는 진딧물을 잡아먹는 무당벌레도 있습니다.

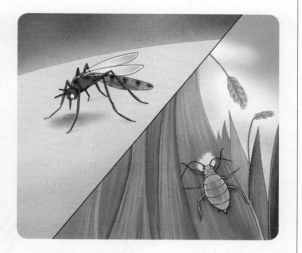

사람의 피를 빨아 먹고 병을 옮기기도 하는 모기가 있고, 농작물을 해치는 진딧물도 있습니다.

사	람	에	게		도	움	이		되	는
벌	레	가		있	습	니	다	.		예	를
들	어	,								

힌트 첫 문장을 읽어 보고, 그 내용을 뒷받침해 주는 예로 알맞은 것을 찾아 써 봐요.

3단계 • **65**

여러 부분으로 나누어 설명하기

달래
태극기를 바탕과 태극 문양, 사괘로 나누어 설명했구나.

밤톨
태극기 전체를 여러 부분으로 나누어 설명하니 이해하기 쉬워.

기찬
다들 나처럼 똑똑해졌군!

태극기를 여러 부분으로 나누어 설명해 볼게요!
태극기는 흰색 바탕과 가운데 태극 문양, 모서리에 있는 사괘로 이루어져 있어요.

설명하는 대상을 여러 부분으로 나누어 설명해라!

하나의 설명하는 대상을 여러 부분으로 나누어 설명할 수 있어요.

이러한 방법으로 대상을 설명하면 전달하고자 하는 내용을

짜임새 있게 설명할 수 있고, 대상이 어떻게 이루어져 있는지

자세히 살펴볼 수 있어요.

◉ 그림에 맞는 퍼즐 모양을 찾아 ○표를 하고, 대상을 어떤 방법으로 설명하였는지 알아보아요.

대상을 여러 부분으로
나누어 설명함.

곤충은
머리, 가슴,
배로
이루어져
있다.

대상을 '무엇은
무엇이다'라고
설명함.

자세한 예를 들어
설명함.

 대상을 설명하는 방법을 생각하며 문장을 따라 쓰세요.

| 곤 | 충 | 은 | V | 머 | 리 | , | 가 | 슴 | , | 배 |
| 로 | V | 이 | 루 | 어 | 져 | V | 있 | 다 | . | |

3일 여러 부분으로 나누어 설명하기

● 다음 미국 국기를 보고, 그것을 여러 부분으로 나누어 설명하는 글을 쓰세요.

미국 국기는 파랗고, 빨갛고, 하얀데…… 어떻게 설명할지 모르겠어.

미국 국기에는 열세 개의 줄과 오십 개의 별이 그려져 있어.

열세 개의 줄은 미국이 처음 나라를 세울 때 미국의 주가 열세 개였던 것을 기념하는 거야.

오십 개의 별은 미국 땅이 점점 커지면서 오십 개로 늘어난 미국의 주를 뜻해.

어휘 풀이

▼ **국기** |나라 국 國, 기 기 旗| 한 나라를 상징하는 깃발. 우리나라의 국기는 태극기이다.

▼ **주** |고을 주 州| 연방 국가를 구성하는 행정 구역의 하나.
예 하와이는 가장 최근에 미국의 주가 되었다.

▼ **기념** |벼리 기 紀, 생각할 념 念| 어떤 뜻깊은 일이나 훌륭한 인물 등을 오래도록 잊지 않고 마음에 간직함. 예 한글날은 훈민정음을 세상에 알린 것을 기념하는 날이다.

▲ 태극기

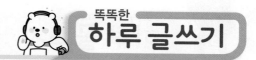
낱말 쓰기

1단계

미국 국기를 어떻게 나눌 수 있는지 빈칸에 알맞은 말을 각각 쓰세요.

(1) 미국 국기에는 열세 개의 | ㅈ | 이 있다.

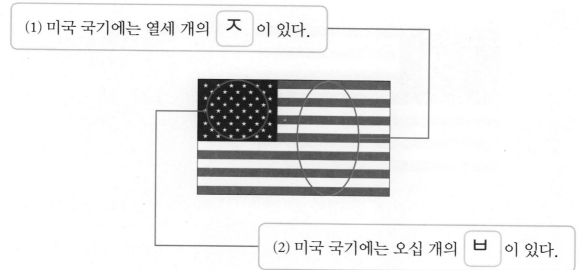

(2) 미국 국기에는 오십 개의 | ㅂ | 이 있다.

문장 쓰기

2단계

1에서 두 부분으로 나눈 미국 국기에 대해 설명하는 문장을 쓰세요.

❶ [ ][ ][ ][ ][ ] 은 미국이 처음 나라를 세울 때 미국의 주가
열세 개였던 것을 기념한다.

❷ [ ][ ][ ][ ][ ] 은 미국 땅이 점점 커지면서 오십 개로 늘어난
미국의 주를 뜻한다.

한 편 쓰기

3단계

2에서 완성한 문장을 넣어 미국 국기를 여러 부분으로 나누어 설명하는 글을 완성하
세요.

미국 국기에는 열세 개의 줄과 오십 개의 별이 그려져 있다. ❶ _____

_____

_____을 기념한다. 그리고 ❷ _____

_____를 뜻한다.

▶정답 및 해설 11쪽

1 밑줄 그은 낱말을 바르게 고쳐 쓴 것을 골라 빈칸에 쓰세요.

낱말
고쳐쓰기

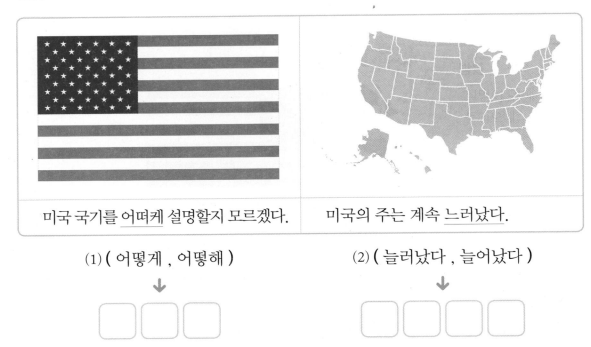

미국 국기를 <u>어떠케</u> 설명할지 모르겠다.

미국의 주는 계속 <u>느러났다</u>.

(1) (어떻게 , 어떻해)

↓

⬜⬜⬜

(2) (늘러났다 , 늘어났다)

↓

⬜⬜⬜⬜

2 다음 문장에서 밑줄 그은 부분의 띄어쓰기를 알맞게 고쳐 쓰고, 문장을 따라 쓰세요.

문장
고쳐쓰기

미국 국기에는 <u>열세개</u>의 줄과 <u>오십개</u>의 별이 그려져 있다.

↓

미	국	∨	국	기	에	는	∨		
	의	∨	줄	과	∨			의	∨
별	이	∨	그	려	져	∨	있	다	.

힌트 '열한 개', '열두 마리'처럼 단위를
나타내는 말은 앞말과 띄어 써야 해요.

▶ 정답 및 해설 11쪽

● 다음 친구가 쓴 글 을 읽고, 그림 속 대상을 여러 부분으로 나누어 설명할 때 빈칸에 들어갈 알맞은 말을 쓰세요.

친구가 쓴 글

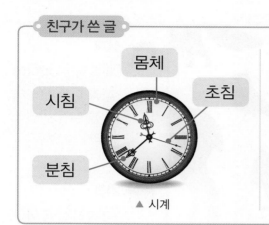

▲ 시계

시계는 몸체와 시침, 분침, 초침으로 이루어져 있다. 숫자가 써 있는 몸체 위에서 시침은 지금이 몇 시인지, 분침은 몇 분인지, 초침은 몇 초인지를 알려 주는 역할을 한다.

2주

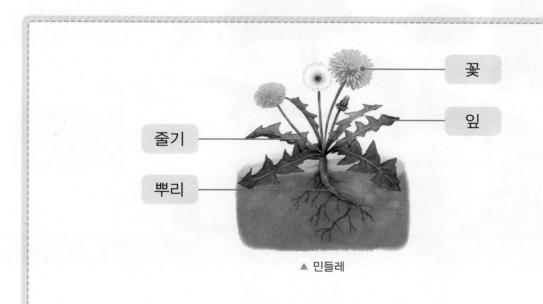

▲ 민들레

민들레의 뿌리는 땅속에서 물과 양분을 흡수하는 일을 하고, 줄기는 물과 양분을 몸 곳곳으로 보낸다. 잎은 물과 햇빛을 이용해 영양분을 만들며, 꽃은 열매를 맺어 씨앗을 남기는 일을 한다.

 힌트 민들레가 무엇으로 이루어져 있는지 전체를 여러 부분으로 나누어 봐요. 나눈 부분을 하나씩 설명하면 자세하고 짜임새 있게 대상을 설명할 수 있어요.

종류별로 나누어 설명하기

설명하는 대상을 일정한 기준에 따라 종류별로 나누어 설명해라!

여러 가지가 뒤섞여 있는 대상을 설명할 때에는

설명하는 대상을 일정한 기준에 따라 종류별로 나누어 설명할 수 있어요.

이러한 방법으로 설명하면 설명하는 대상을 체계적으로 정리하여 설명할 수 있어요.

◉ 사다리 타기를 하여 도착한 곳의 낱말을 따라 쓰며, 설명하는 대상을 종류별로 나누어서 설명하는 방법을 알아보아요.

2
주

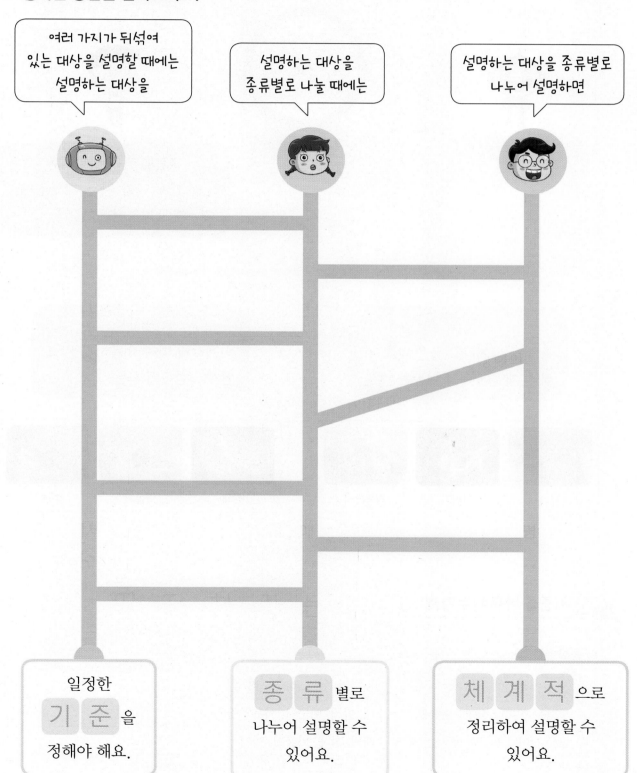

여러 가지가 뒤섞여 있는 대상을 설명할 때에는 설명하는 대상을

설명하는 대상을 종류별로 나눌 때에는

설명하는 대상을 종류별로 나누어 설명하면

일정한
기 준 을
정해야 해요.

종 류 별로
나누어 설명할 수
있어요.

체 계 적 으로
정리하여 설명할 수
있어요.

4_일 종류별로 나누어 설명하기

● 다음 틀을 보고, 일정한 기준에 따라 새를 종류별로 나누어 설명하는 글을 쓰세요.

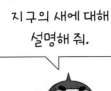

지구의 새에 대해
설명해 줘.

새

그럼 철새와 텃새로
나누어 설명해 줄게.

종류별로 나누는 기준
계절에 따라 사는 지역을 옮
기는지에 따라서

철새
알을 낳거나 겨울을 나기 위
해서 계절에 따라 이동하는 새

텃새
계절에 따라 이동하지 않고
언제나 한곳에 사는 새

| 제비 | 기러기 | 청둥오리 |

| 참새 | 비둘기 | 까치 |

기준을 바꿔 나누기 예

◎ **종류별로 나누는 기준**: 사는 장소

물가에 사는 새	두루미, 원앙, 청둥오리 등
높은 산이나 숲에 사는 새	매, 벌새, 뻐꾸기, 쇠부엉이 등
낮은 산이나 집 근처에 사는 새	제비, 참새, 비둘기, 까치 등

낱말 쓰기

1
단계   **새를 종류별로 나누어 설명하려고 합니다. 빈칸에 들어갈 알맞은 낱말을 쓰세요.**

철새

텃새

새는 계절에 따라 사는 지역을 옮기는지에 따라서

┌───┬───┐
│ 大 │ 人 │ 와 텃새로 나눌 수 있다.
└───┴───┘

문장 쓰기

2
단계   **1에서 답한 내용에 따라 새를 종류별로 나누어 두 문장으로 정리해 쓰세요.**

❶ 철새는 알을 낳거나 겨울을 나기 위해서 ☐☐☐☐☐☐

☐☐☐☐ 로, 제비, 기러기, 청둥오리 등이 있다.

❷ 텃새는 계절에 따라 이동하지 않고 언제나 ☐☐☐☐☐

☐ 로, 참새, 비둘기, 까치 등이 있다.

한 편 쓰기

3
단계   **2에서 완성한 문장을 넣어 새를 설명하는 글을 쓰세요.**

새는 계절에 따라 사는 지역을 옮기는지에 따라서 철새와 텃새로 나눌 수 있다.

철새는 ❶ _____

_____

그리고 텃새는 ❷ _____

_____

▶ 정답 및 해설 12쪽

1
낱말
고쳐쓰기

다음 문장의 밑줄 그은 낱말을 보기 의 낱말을 사용하여 각각 바르게 고쳐 쓰세요.

보기

낳는다   배 속의 아이, 새끼, 알을 몸 밖으로 내놓는다.

낫는다   병이나 상처 따위가 고쳐져 본래대로 된다.

(1) 철새는 멀리 이동하여 알을 <u>낫는다.</u>

낫   는   다 → ☐ ☐ ☐

(2) 약을 바르면 상처가 금세 <u>낳는다.</u>

낳   는   다 → ☐ ☐ ☐

2
문장
고쳐쓰기

다음 문장과 문장 사이에 들어갈 이어 주는 말로 알맞은 것을 보기 에서 골라 쓰세요.

보기

그래서   앞의 내용이 뒤의 내용의 원인이 될 때 이어 주는 말.

그리고   서로 비슷한 내용의 두 문장을 이어 주는 말.

철새에는 제비, 기러기, 청둥오리 등이 있다. ☐ ☐ ☐ 텃새에는 참새, 비둘기, 까치 등이 있다.

 힌트   앞 문장은 철새의 종류에 대해서 설명하고 있고, 뒷 문장은 텃새의 종류에 대해서 설명하고 있어요. 서로 비슷한 내용의 문장이네요.

● 다음 만화를 보고, 버리는 방법에 따라서 쓰레기를 어떻게 나눌 수 있는지 한 문장으로 빈칸에 써서 설명하는 글을 완성하세요.

휴지나 깨진 병처럼 재활용할 수 없는 쓰레기를 일반 쓰레기라고 한다. 일반 쓰레기는 일반 종량제 봉투에 담아 버린다.

종이, 캔, 유리병처럼 땅에 묻거나 태우지 않고 가공하여 다시 사용하는 쓰레기를 재활용 쓰레기라고 한다. 재활용 쓰레기는 종류별로 나누어 버린다.

마지막으로, 버리는 음식물 중에서 비료와 사료로 재활용할 수 있는 쓰레기를 음식물 쓰레기라고 한다. 음식물 쓰레기는 음식물 종량제 봉투에 담아 버린다.

 힌트 쓰레기를 잘 버리려면 종류별로 나눌 수 있어야 해요.
쓰레기를 어떻게 나눌 수 있는지 한 문장으로 정리해 보세요.

5일 설명하는 글 쓰기

판판
나는 대나무에 대해서라면 자세히 설명할 수 있어!

달래
대나무에 맞는 설명 방법은 무엇일까?

기찬
먼저 대나무가 무엇인지 설명하고, 대나무를 여러 부분으로 나누어 설명해 봐.

가장 잘 설명할 수 있는 대상은 자신이 가장 좋아하고 관심이 있는 것이에요! 그런 주제로 설명하는 글을 써 봐요.

알맞은 설명 방법을 사용하여 설명하는 글을 써라!

대상을 설명하기에 가장 알맞은 설명 방법을 생각하여 설명하는 글을 써 봐요.

먼저 자신이 잘 알고 있는 대상을 떠올려 무엇에 대해 설명할지 정하고,

그 설명 대상을 가장 이해하기 쉽게 설명할 수 있는 방법으로

설명하는 글을 써요.

◉ 설명하는 글을 쓰는 방법에 맞게 빈칸에 알맞은 말을 쓰고, 그 말을 퍼즐판에서 찾아 ◯표를 하세요.

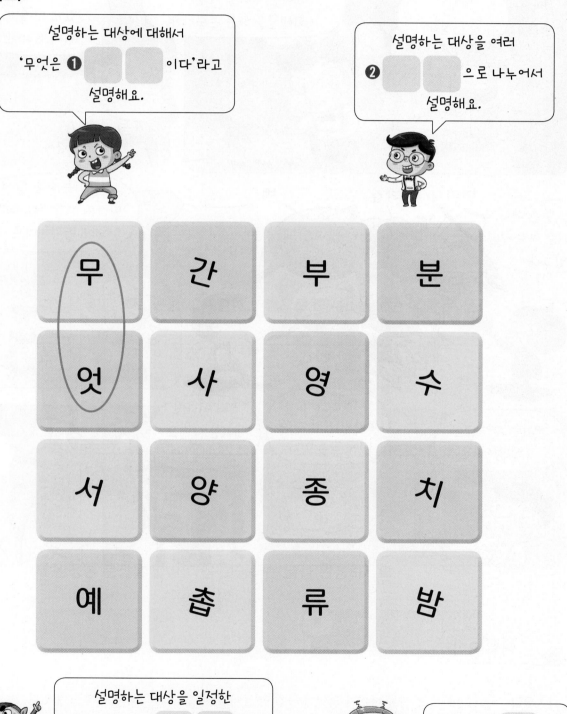

설명하는 대상에 대해서
'무엇은 ❶ ☐ ☐ 이다'라고
설명해요.

설명하는 대상을 여러
❷ ☐ ☐ 으로 나누어서
설명해요.

무	간	부	분
엇	사	영	수
서	양	종	치
예	촘	류	밤

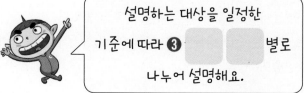

설명하는 대상을 일정한
기준에 따라 ❸ ☐ ☐ 별로
나누어 설명해요.

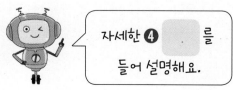

자세한 ❹ ☐ 를
들어 설명해요.

설명하는 글 쓰기

● 다음 만화를 읽고, 개미에 대해 설명하는 글을 쓰세요.

어휘 풀이

▼**무리** 사람이나 짐승, 사물 따위가 모여서 뭉친 한 동아리. 예 소의 <u>무리</u>가 한곳에 모여 있다.

▼**사회생활**|모일 사 社, 모일 회 會, 날 생 生, 살 활 活| 많은 수의 생물이 모여서 일을 맡아 공동으로 꾸려 나가는 생활. 예 개미와 벌은 <u>사회생활</u>을 하는 곤충이다.

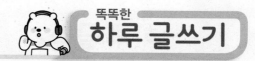
▶ 정답 및 해설 13쪽

낱말 쓰기

1단계

개미에 대한 설명으로 알맞은 말을 빈칸에 쓰세요.

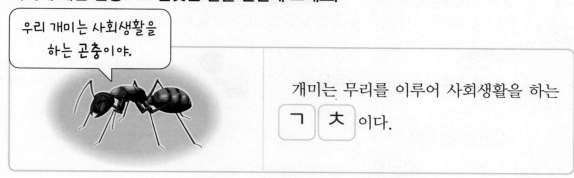

우리 개미는 사회생활을 하는 곤충이야.

개미는 무리를 이루어 사회생활을 하는 ㄱ ㅊ 이다.

문장 쓰기

2단계

다음 그림을 보고, 설명 방법에 맞게 개미에 대해 설명하는 문장을 각각 쓰세요.

❶ 대상을 여러 부분으로 나누어 설명하기

머리 가슴 배

개미의 몸은 ☐☐ , ☐☐ , ☐ 로 이루어져 있다.

❷ 대상을 종류별로 나누어 설명하기

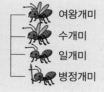
여왕개미
수개미
일개미
병정개미

개미는 ☐☐☐ 에 따라서 여왕개미, 수개미, 일개미, 병정개미로 나눈다.

한 편 쓰기

3단계

개미가 어떤 먹이를 먹는지 자세한 예를 들어 설명하는 글을 쓰세요.

개	미	는		무	엇	이	든		잘	
먹	는	다	.		예	를		들	어	,

▶ 정답 및 해설 13쪽

1
낱말
고쳐쓰기

다음 친구가 쓴 문장 에서 ' 하는 일 '이라는 말을 뜻이 비슷한 다른 낱말로 고쳐 쓰려고 합니다. 보기 에서 뜻이 비슷한 낱말을 골라 바꿔 써 보세요.

보기

역할   임무

힌트 어떤 말로 바꾸어 써도 모두 답이 될 수 있어요. 자기가 바꿔 쓰고 싶은 말을 골라 문장을 완성해 보세요.

친구가 쓴 문장

개미는 하는 일 에 따라서 여왕개미, 수개미, 일개미, 병정개미로 나눈다.

↓

개미는 ☐☐ 에 따라서 여왕개미, 수개미, 일개미, 병정개미로 나눈다.

2
문장
고쳐쓰기

다음 친구가 고쳐 쓴 문장 과 같이 문장에 꼭 필요한 말을 넣어 자연스러운 문장으로 고쳐 쓰세요.

친구가 고쳐 쓴 문장

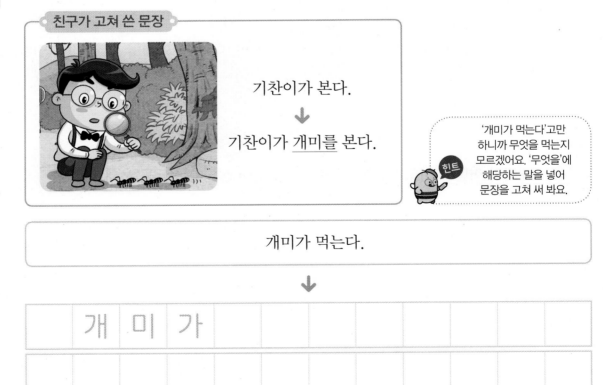

기찬이가 본다.
↓
기찬이가 <u>개미를</u> 본다.

힌트 '개미가 먹는다'고만 하니까 무엇을 먹는지 모르겠어요. '무엇을'에 해당하는 말을 넣어 문장을 고쳐 써 봐요.

개미가 먹는다.

↓

	개	미	가								

▶ 정답 및 해설 13쪽

● 다음 보기 중 한 가지 이상의 설명 방법을 사용하여 자전거를 설명하는 글을 쓰세요.

보기

① 설명하는 대상을 '무엇은 무엇이다'라고 알기 쉽게 설명한다.
② 설명하는 대상과 관련된 자세한 예를 들어 설명한다.
③ 설명하는 대상을 여러 부분으로 나누어서 설명한다.
④ 설명하는 대상을 일정한 기준에 따라 종류별로 나누어 설명한다.

제목: _____

힌트   제목은 무엇을 설명할 것인지가 잘 드러나도록
설명할 대상의 이름을 넣어 써 봐요.

생활 어휘 다음 만화를 보며 속담의 뜻을 알아보고, 상황에 맞게 속담을 써 보세요.

지렁이도 밟으면 꿈틀한다

▶ 정답 및 해설 14쪽

2
주

속담의 뜻을 알아봐요!

지렁이도 밟으면 꿈틀한다

이 속담은 "아무리 눌려 지내는 순하고 좋은 사람이라도 너무 무시하면 가만있지 않는다."라는 뜻의 속담이랍니다.

이제 이 속담을 넣어 상황에 맞게 써 볼까요?

도저히 못 참겠어!

누나가 자꾸 나를 놀리면 나도 화를 낼 거야. "☐☐☐☐☐☐ ☐☐☐☐☐"라는 말이 있다고.

● 어떤 낱말의 뜻인지 알맞은 답을 찾아 따라 쓰며, 개미의 먹이가 있는 곳을 찾아가세요.

창의   2주에 나왔던 **낱말과 그 뜻**을 익히며 개미를 먹이가 있는 곳까지 데려가세요.

▶정답 및 해설 14쪽

● 두 친구가 제기차기 시합을 하고 있어요. 맨제기, 헐렁차기, 양발차기를 하며 제기를 찬 횟수를 각각 모두 더하여 더 많은 제기를 찬 친구의 이름을 쓰세요.

2주

윤아는 모두 합쳐 제기를 ☐ 번 찼고, 진호는 ☐ 번 찼어요. 따라서 제기차기 시합에서 이긴 사람은 ☐☐ 예요.

 융합 국어+수학 윤아와 진호가 세 가지 방법으로 각각 찬 제기차기 횟수를 모두 더하여 누가 시합에서 이겼는지 알아보며 **두 자릿수 덧셈**을 익혀 봅니다.

● 다음 다섯 고개 놀이의 정답은 무엇인지 빈칸에 들어갈 국기를 보기 에서 골라 쓰세요.

고개	질문	대답
하나	서양 나라의 국기인가요?	아니요, 동양 나라의 국기입니다.
둘	바탕은 붉은색 인가요?	아니요, 바탕은 흰색입니다.
셋	국기에 별 모양이 있나요?	아니요, 별 모양은 없습니다.
넷	한가운데에 둥그런 모양이 있나요?	예, 둥그런 태극 모양이 있습니다.
다섯	네 모서리에도 어떤 무늬가 들어 있나요?	예, 각각 하늘(☰), 땅(☷), 물(☵), 불(☲)을 뜻하는 네 개의 괘가 있습니다.
	설명하는 국기가 [ ] 인가요?	예, 맞습니다.

보기

중국 국기	우리나라 태극기	일본 국기	프랑스 국기

(   )

창의   다섯 가지 질문과 대답을 하며 **설명하는 국기의 특징**을 살펴 알맞은 국기를 찾아봅니다.

● 다음 코딩에 따라 동물들을 종류별로 나누었더니 벌과 잠자리는 곤충이었고, 달팽이와 지네는 곤충이 아니었습니다. ㉠ 에 들어갈 곤충을 나누는 기준으로 알맞은 것을 보기 에서 두 가지 골라 ◯표 하세요.

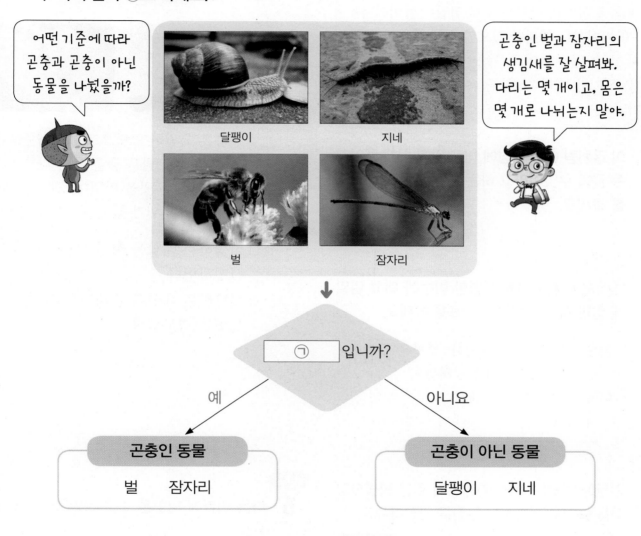

어떤 기준에 따라 곤충과 곤충이 아닌 동물을 나눴을까?

곤충인 벌과 잠자리의 생김새를 잘 살펴봐. 다리는 몇 개이고, 몸은 몇 개로 나뉘는지 말야.

달팽이

지네

벌

잠자리

↓

㉠ 입니까?

예 ← → 아니요

곤충인 동물

벌   잠자리

곤충이 아닌 동물

달팽이   지네

보기

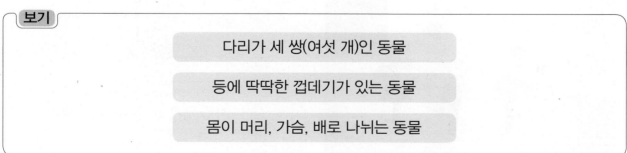

다리가 세 쌍(여섯 개)인 동물

등에 딱딱한 껍데기가 있는 동물

몸이 머리, 가슴, 배로 나뉘는 동물

코딩   어떤 기준을 코딩 명령에 넣으면 곤충과 곤충이 아닌 동물을 종류별로 나눌 수 있는지 찾아보고, **곤충과 곤충이 아닌 동물**을 나누는 기준을 알아봅니다.

[1~3] 다음 글을 읽고, 물음에 답하세요.

> ○딱지치기는 종이를 접어 만든 딱지로 바닥에 놓은 상대의 딱지를 쳐서 뒤집는 놀이이다. 딱지치기는 딱지만 있으면 언제 어디서나 쉽게 할 수 있는 놀이로, 두 명만 모여도 놀 수 있다. 하지만 함께 할 친구들이 많은 편이 더 재미있다.

1 이 글처럼 어떤 대상에 대해 알기 쉽게 풀어서 쓴 글을 무엇이라고 하는지 알맞은 것에 ○표를 하세요.

(설명 , 설득)하는 글

2 ○에서 딱지치기를 설명한 방법에 대해 알맞게 말한 사람의 이름에 ○표를 하세요.

> **가은:** 딱지치기에 대해서 '무엇은 무엇이다'라고 알기 쉽게 설명하였어.
> **아라:** 딱지치기에 대해서 '무엇은 무엇 같다'라고 다른 것에 빗대어 설명하였어.

글쓰기

3 빈칸에 알맞은 말을 넣어 ○과 같은 방법으로 다음 놀이를 설명하는 문장을 완성하세요.

> 제기차기는 [ ][ ]가 떨어지지 않도록 톡톡 차며 즐기는 놀이이다.

4 다음 글에서 곤충의 특별한 의사소통 방법에 대해 설명한 방법으로 알맞은 것을 골라 ○표를 하세요.

> 곤충은 특별한 방법으로 의사소통을 한다. 예를 들어, 벌은 춤을 추어 다른 벌들에게 꿀이 있는 곳을 알린다. 개미는 페로몬을 내뿜어 먹이가 있는 곳을 알린다.

(1) 설명하는 대상을 여러 부분으로 나누어 설명하였다. ( )
(2) 설명하는 대상과 관계있는 자세한 예를 들어 설명하였다. ( )

글쓰기

5 다음 빈칸에 알맞은 말을 보기 에서 골라 쓰세요.

> **보기**
> 예를 들어   왜냐하면

> 사람에게 도움이 되는 벌레가 있습니다. [   ], 모기나 파리를 잡아먹는 거미가 있고, 농작물에 피해를 주는 진딧물을 잡아먹는 무당벌레도 있습니다.

[6~9] 다음 글을 읽고, 물음에 답하세요.

> (가) 미국 국기에는 열세 개의 줄과 오십 개의 별이 그려져 있다. 열세 개의 줄은 미국이 처음 나라를 세울 때 미국의 주가 열세 개였던 것을 기념한다. 그리고 오십 개의 별은 미국 땅이 점점 커지면서 오십 개로 늘어난 미국의 주를 뜻한다.
>
> (나) 새는 계절에 따라 사는 지역을 옮기는지에 따라서 철새와 텃새로 나눌 수 있다. 철새는 알을 낳거나 겨울을 나기 위해서 계절에 따라 이동하는 새로, 제비, 기러기, 청둥오리 등이 있다. 그리고 텃새는 계절에 따라 이동하지 않고 언제나 한곳에 사는 새로, 참새, 비둘기, 까치 등이 있다.

6 글 (가)에서 대상을 설명한 방법을 바르게 말한 친구의 이름에 ○표를 하세요.

대상을 여러 부분으로 나누어 설명하였어.	일정한 기준에 따라 대상을 종류별로 나누어 설명하였어.
달래	기찬

글쓰기

7 글 (가)에서 미국 국기를 어떻게 나누어 설명하였는지 빈칸에 알맞은 말을 쓰세요.

- 미국 국기를 열세 개의 [ ]과 오십 개의 [ ]로 나누어 설명하였다.

8 글 (나)에서 새를 철새와 텃새로 나눈 기준으로 알맞은 것에 ○표를 하세요.

(1) 새들이 먹는 먹이의 종류에 따라서 나누었다. ( )

(2) 새들이 계절에 따라 사는 지역을 옮기는지에 따라서 나누었다. ( )

9 다음 문장의 빈칸에 들어갈 알맞은 낱말을 선으로 각각 이으세요.

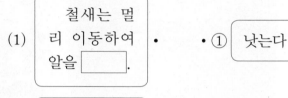

(1)	철새는 멀리 이동하여 알을 [ ].	•	• ①	낫는다
(2)	약을 바르면 상처가 금세 [ ].	•	• ②	낳는다

10 다음 글 (가)와 글 (나) 중에서 밤톨이가 쓴 설명하는 글이 무엇인지 기호를 쓰세요.

> (가) 자전거는 사람이 타고 앉아 두 다리의 힘으로 바퀴를 돌려서 앞으로 가도록 만든 탈것이다.
>
> (나) 사람들이 자전거를 타는 이유는 다양하다. 예를 들어, 어디인가로 이동하기 위해 자전거를 타는 사람도 있고, 운동을 하기 위해 타는 사람도 있다.

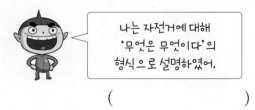

나는 자전거에 대해 '무엇은 무엇이다'의 형식으로 설명하였어.

( )

3주

이번 주에는 무엇을 공부할까? ❶

사과하는 글을 써 보자!

1일 자신이 잘못한 일 쓰기

2일 미안한 마음 표현하기

3일 다짐이나 약속 쓰기

4일 친구에게 사과하는 글 쓰기

5일 부모님께 사과하는 글 쓰기

1-1 사과하는 글에 대한 설명으로 알맞지 <u>않은</u> 것에 ×표를 하세요.

(1) 자신의 화나는 마음을 쓴다. (　　　)

(2) 앞으로의 다짐과 약속을 쓴다. (　　　)

(3) 언제, 무슨 일이 있었는지 떠올려 자신이 잘못한 일을 쓴다. (　　　)

1-2 사과하는 글은 어떠한 마음을 전하기 위한 글인지 빈칸에 알맞은 말을 쓰세요.

☐ ○ 한 마음

▶ 정답 및 해설 16쪽

2-1 다음 중 미안한 마음을 알맞게 표현하지 <u>못한</u> 친구에 ×표를 하세요.

(1) (　　　　　　)　　(2) (　　　　　　)　　(3) (　　　　　　)

2-2 다음 사과하는 글의 빈칸에 들어갈 표현으로 알맞은 것을 보기 에서 골라 쓰세요.

보기

미안해　　　　고마워　　　　기쁘다

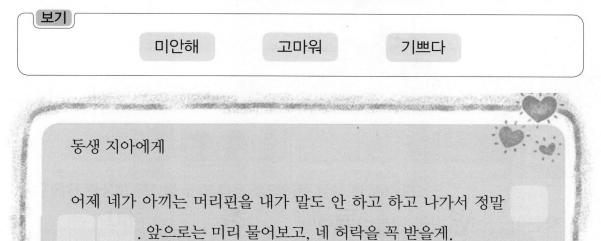

동생 지아에게

어제 네가 아끼는 머리핀을 내가 말도 안 하고 하고 나가서 정말
　　　　. 앞으로는 미리 물어보고, 네 허락을 꼭 받을게.

20○○년 ○○월 ○○일

언니 지효가

자신이 잘못한 일 쓰기

자신이 잘못한 일을 떠올려 써라!

사과하는 글은 자신이 잘못한 일을 떠올려 쓰고 미안한 마음과
앞으로의 다짐과 약속을 읽는 사람에게 전하는 글이에요.
사과하는 글을 쓰기 위해 자신이 잘못한 일을 떠올려 쓸 때에는
언제, 무슨 일이 있었는지 자세히 써야 한답니다.

● 잘못한 일을 떠올려 사과하는 글을 쓰는 방법에 맞게 빈칸에 알맞은 말을 쓰고, 퍼즐판에서 찾아 ◯표를 하세요.

사과하는 글은
읽는 사람에게 ❶ ☐ ☐ 한
마음을 전하는 글이에요.

앞으로의 ❷ ☐ ☐ 이나
약속을 써요.

유	식	밝	터
비	다	짐	닭
언	니	지	미
제	야	수	안

잘못한 일을 떠올려 쓸 때에는 ❸ ☐ ☐,
무슨 일이 있었는지 자세히 써요.

자신이 잘못한 일 쓰기

● 예준이가 누리집에 올린 글을 읽고, 예준이가 잘못한 일을 정리하여 쓰세요.

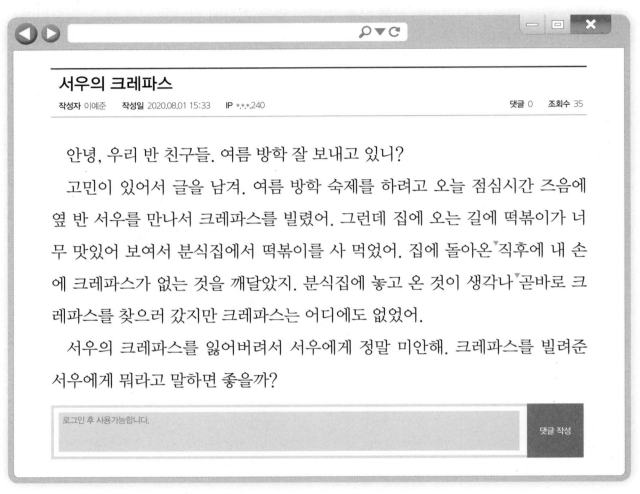

서우의 크레파스

작성자 이예준 작성일 2020.08.01 15:33 IP *.*.*.240 댓글 0 조회수 35

안녕, 우리 반 친구들. 여름 방학 잘 보내고 있니?

고민이 있어서 글을 남겨. 여름 방학 숙제를 하려고 오늘 점심시간 즈음에 옆 반 서우를 만나서 크레파스를 빌렸어. 그런데 집에 오는 길에 떡볶이가 너무 맛있어 보여서 분식집에서 떡볶이를 사 먹었어. 집에 돌아온 [▼]직후에 내 손에 크레파스가 없는 것을 깨달았지. 분식집에 놓고 온 것이 생각나 [▼]곧바로 크레파스를 찾으러 갔지만 크레파스는 어디에도 없었어.

서우의 크레파스를 잃어버려서 서우에게 정말 미안해. 크레파스를 빌려준 서우에게 뭐라고 말하면 좋을까?

로그인 후 사용가능합니다.

댓글 작성

예준

🐻 **어휘 풀이**

▼**직후** |곧을 직 直, 뒤 후 後| 어떤 일이 있고 난 바로 다음. ⑩ 학교를 마친 <u>직후</u>에 학원에 갔다.

▼**곧바로** 바로 그 즉시에. ⑩ 요리가 완성되자마자 <u>곧바로</u> 먹기 시작했다.

낱말 쓰기

1 다음은 예준이가 자신이 잘못한 일을 떠올린 것입니다. 빈칸에 알맞은 말을 각각 쓰세요.

(1) | ㅈ | ㅅ | ㅅ | ㄱ | 즘에 서우에게 크레파스를 빌렸다.

(2) 서우에게 빌린 | ㅋ | ㄹ | ㅍ |
| ㅅ | 를 분식집에 놓고 왔다.

문장 쓰기

2 1에서 답한 일을 두 문장으로 정리하여 쓰세요.

❶ | | | | | 즘에 서우에게 | | | | |
| | | .

❷ 서우에게 | | | | | | 분식집에 | |
| | .

한 편 쓰기

3 2에서 완성한 문장을 이용해 예준이가 잘못한 일을 정리하여 쓰세요.

	❶					∨	즈	음	에	∨	서	우
에	게	∨							∨			
❷그	런	데	∨	서	우	에	게	∨				∨
							∨				∨	
	∨											

▶ 정답 및 해설 16쪽

1
낱말
고쳐쓰기

두 낱말의 뜻과 예를 보고, 문장에서 밑줄 그은 낱말을 각각 바르게 고쳐 쓰세요.

> 잃어버리다　가졌던 물건이 자신도 모르게 없어져 그것을 아주 갖지 않게 되다.
> 예 책상 위에 올려 뒀던 연필을 <u>잃어버렸다</u>.
>
> 잊어버리다　한번 알았던 것을 모두 기억하지 못하거나 전혀 기억하여 내지 못
> 하다. 예 수업 시간에 배웠던 맞춤법을 <u>잊어버렸다</u>.

(1) 예준이는 크레파스를 <u>잊어버렸다</u>.

(2) 미나는 친구와의 약속을 <u>잃어버렸다</u>.

잊	어	버	렸	다

↓

잃	어	버	렸	다

↓

2
문장
고쳐쓰기

다음 밑줄 그은 부분을 바르게 고치고 문장을 따라 쓰세요.

분식집에서 떡뽁이를 사 머거써.

분	식	집	에	서	V						를	V

사	V				.							

● 다음 그림을 보고, 사과하는 글을 쓰기 위해 잘못한 일을 쓰세요.

친구가 쓴 문장

저녁 식사 시간

	저	녁	∨	식	사	∨	시	간	에	∨	어
머	니	께	서	∨	아	끼	시	는	∨	컵	을
깨	뜨	렸	다	.							

어제 아침

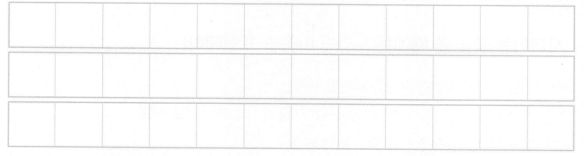

힌트

친구가 쓴 문장 처럼 언제, 무슨 일이 있었는지 떠올려 쓰면 정답이 될 수 있어요.

미안한 마음 표현하기

글봇
싸우지 말고 한 친구가 먼저 미안한 마음을 표현하면 좋을 텐데…….

밤톨
'글봇, 좋아해.' 이렇게?

기찬
아니~! '미안해.' 같은 말을 사용해야지.

오늘은 진심을 담아 미안한 마음을 표현하는 방법을 배워 봐요~!

사과하는 글을 쓸 때에는 미안한 마음을 표현해라!

사과하는 글에서 미안한 마음을 표현할 때에는

'내 잘못이야.', '미안해.', '~해서 죄송합니다.' 등의 사과하는 말을 써요.

그리고 미안한 마음을 진심을 담아 써야 해요.

친한 친구에게 미안한 마음을 표현할 때에도 장난스럽게 쓰지 않도록 주의해요.

◉ 사다리 타기를 하여 도착한 곳의 낱말을 따라 쓰며, 사과하는 글에 들어갈 미안한 마음을 표현하는 방법을 알아보아요.

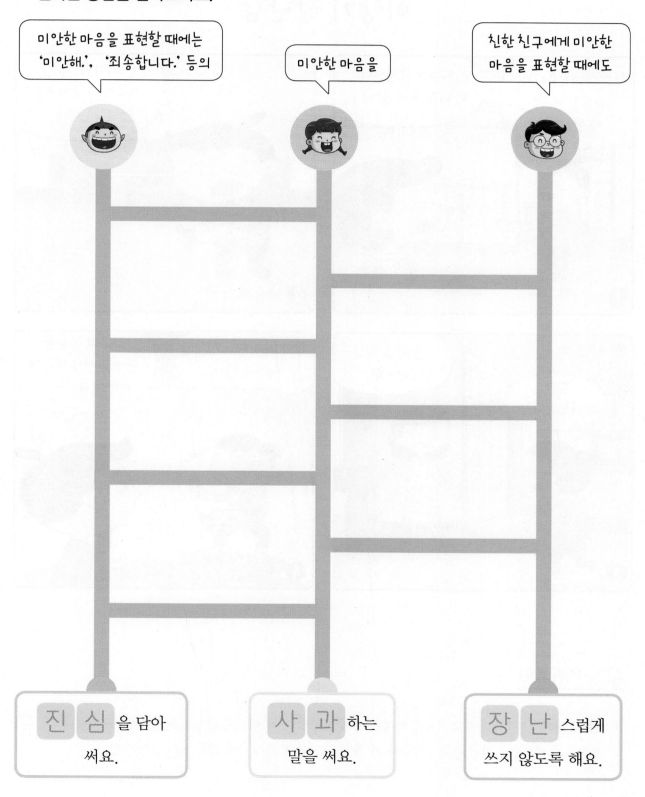

미안한 마음을 표현할 때에는 '미안해.', '죄송합니다.' 등의

미안한 마음을

친한 친구에게 미안한 마음을 표현할 때에도

진 심 을 담아 써요.

사 과 하는 말을 써요.

장 난 스럽게 쓰지 않도록 해요.

● 다음 만화를 보고, 희수가 동생 지수에게 미안한 마음을 어떻게 표현해야 하는지 쓰세요.

비행기 장난감

🐭 어휘 풀이

▼**망가뜨렸어** 부수거나 찌그러지게 하여 못 쓰게 만들었어. 예 아이가 엄마의 시계를 망가뜨렸어.

▼**풀어** 일어난 감정 따위를 누그러뜨려. 예 짝이 나 때문에 화가 나서 화를 풀어 주어야 한다.

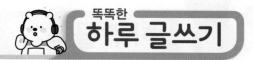

▶ 정답 및 해설 17쪽

낱말 쓰기

1 다음 그림을 보고, 빈칸에 알맞은 낱말을 보기 에서 각각 골라 쓰세요.

보기

| 그림책 | 장난감 | 고마워 | 미안해 |

지수에게 너무 미안하다.

(1) 지수야, 네가 아끼는 ☐ ☐ ☐ 을 망가뜨렸어.

(2) 정말 ☐ ☐ ☐ .

문장 쓰기

2 1에서 쓴 미안한 마음을 표현한 말을 한 문장으로 정리하여 쓰세요.

지수야, ☐☐☐☐☐☐☐☐ 망가뜨려서 ☐☐☐☐☐ .

한 편 쓰기

3 2에서 쓴 문장을 넣어 미안한 마음을 표현하는 글을 쓰세요.

	지	수	야	,			∨			∨
				∨				∨		
	∨								

1

낱말
고쳐쓰기

다음 보기 에서 밑줄 그은 낱말 대신 바꿔 쓰기에 알맞은 낱말을 골라 바꿔 써 보세요.

보기

부수어서   만들어진 물건을 두드리거나 깨뜨려 못 쓰게 만들어서.

만들어서   노력이나 기술 따위를 들여 목적하는 사물을 이루어서.

네가 아끼는 장난감을 <u>망가뜨려서</u> 정말 미안해.

➜ 네가 아끼는 장난감을 ☐ ☐ ☐ ☐ 정말 미안해.

2

문장
고쳐쓰기

친구가 고쳐 쓴 글 과 같이 밑줄 그은 말을 미안한 마음이 드러나게 고치고 따라 쓰세요.

친구가 고쳐 쓴 글

○○아, 복도에서 네 발을 밟아서 <u>행복해</u>. 용서해 줘.

↓

○○아, 복도에서 네 발을 밟아서 <u>미안해</u>. 용서해 줘.

미안한 마음을 표현할
때에는 '미안해.', '죄송해요.'
등의 사과하는 말을 써서
나타내요.
그리고 웃어른께는
높임말로 써야 해요.

힌트

아	빠	,	버	릇	없	이	V	말	대	꾸
를	V	해	서	V	<u>섭</u>	<u>섭</u>	<u>해</u>	<u>요</u>	.	용	서
해	V	주	세	요	.					

↓

아	빠	,	버	릇	없	이	V	말	대	꾸
를	V	해	서	V				.	용	서
해	V	주	세	요	.					

▶ 정답 및 해설 17쪽

● 동권이가 급식 시간에 있었던 일로 사과하는 글을 쓰려고 해요. 동권이가 되어 친구들에게 진심을 담아 미안한 마음을 어떻게 표현하면 좋을지 보기 에서 골라 쓰세요.

반		친	구	들	아	,		어	제		급
식		시	간	에							

보기

차례를 지키지 않고
새치기를 해서 너무 미안해.

배가 너무 고파서 어쩔 수
없었으니까 이해해 줘.

힌트 보기 에서 골라 친구들에게 진심을 담아 미안한 마음을 표현하여 썼으면 답이 될 수 있어요.

친구들! 사과하는 글을 쓸 때에는 미안한 마음을 표현한 말과 함께 자신의 다짐이나 약속을 쓰면 좋아요. 자~, 그럼 다짐이나 약속을 써 볼까요?

판판
헉! 어떻게 해?

기찬
아빠께서 아끼시는 화분이잖아!

달래
아빠께 죄송한 마음과 함께 앞으로는 조심해서 놀겠다고 말씀드려야 할 것 같아.

사과하는 글에 들어갈 다짐이나 약속을 써라!

사과하는 글에 들어갈 다짐이나 약속을 쓸 때에는
'앞으로는 ~하지 않을게.', '앞으로는 ~할게요.'와 같은
자신의 행동에서 잘못된 것을 고치겠다는 말이나
'너와 잘 지냈으면 좋겠어.'와 같은 앞으로 바라는 점을 쓰면 좋아요.

▶ 정답 및 해설 18쪽

● 그림에 맞는 퍼즐 모양을 찾아 선으로 잇고, 사과하는 글에 들어갈 다짐이나 약속을 쓰는 방법을 알아보아요.

다짐이나 약속을 쓰는 방법을 생각하며 문장을 따라 쓰세요.

앞	으	로	는	V	거	친	V	말	을	V
쓰	지	V	않	을	게	.	너	와	V	더	V
친	하	게	V	지	내	고	V	싶	어	.

3일 다짐이나 약속 쓰기

● 다음 동윤이의 일기를 읽고, 엄마께 드릴 글에 들어갈 다짐이나 약속을 써 보세요.

20○○년 ○○월 ○○일 ○요일	날씨: 해가 쨍쨍

제목: 게임 중독

오늘 엄마께 ▾꾸중을 들었다.

2시 20분부터 게임을 30분만 하고 공부를 하기로 한 약속을 잊고 자동차 경주 게임에 ▾푹 빠져 시간 가는 줄 모르고 했다. 정신을 차리고 시계를 보니 시곗바늘이 3시 30분을 가리키고 있었다.

게임을 시작할 때는 정해진 시간 동안만 해야지 했는데 게임을 시작하고 나니 멈출 수가 없었다.

엄마와의 약속을 지키지 못해 너무 죄송했고 나 자신에게도 실망스러웠다. 이제는 반드시 정해진 시간에만 게임을 하고 ▾계획을 세워서 공부도 열심히 해야겠다.

그리고 엄마께서 화가 많이 나셨는데 앞으로의 다짐과 약속을 글로 써서 드려야겠다.

어휘 풀이

▾**꾸중** 아랫사람의 잘못을 꾸짖는 말. 예 수업 시간에 장난을 쳐서 선생님께 꾸중을 들었다.

▾**푹** 아주 깊이 빠지거나 잠기는 모양. 예 나는 요즘 책 읽기에 푹 빠졌다.

▾**계획**|꾀할 계 計, 새길 획 劃| 앞으로 할 일의 절차, 방법, 규모 따위를 미리 헤아려 결정함. 또는 그 내용. 예 우리 가족은 여행 갈 계획을 세웠다.

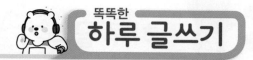
낱말 쓰기

1단계 다음 그림을 보고, 동윤이가 할 다짐이나 약속의 말을 생각하여 빈칸에 알맞은 낱말을 보기 에서 각각 골라 쓰세요.

보기

| 게임 | 운동 | 공부 | 식사 |

(1) 엄마, 앞으로는 ⬚⬚ 하는 시간을 줄일게요.

(2) 계획을 세워서 ⬚⬚ 도 열심히 할게요.

문장 쓰기

2단계 1에서 쓴 다짐이나 약속의 말을 한 문장으로 정리하여 쓰세요.

엄마, 앞으로는 ⬚⬚⬚⬚⬚ 줄이고, ⬚⬚

⬚ 세워서 ⬚⬚⬚⬚ 할게요.

한 편 쓰기

3단계 2에서 쓴 문장을 넣어 엄마께 드릴 글에 들어갈 다짐이나 약속의 말을 써 보세요.

1 다음 두 낱말의 뜻을 보고, 문장의 밑줄 그은 낱말을 각각 바르게 고쳐 쓰세요.
낱말
고쳐쓰기

가르치고 | 지식이나 기능 등을 깨닫게 하거나 익히게 하고.

가리키고 | 손가락 따위로 어떤 방향이나 대상을 집어서 보이거나 말하거나 알리고.

(1) 시곗바늘이 3시 30분을 <u>가르치고</u> 있었다.

→

(2) 선생님께서 낱말의 뜻을 <u>가리키고</u> 계셨다.

→

2 다음 친구가 고쳐 쓴 문장 과 같이 알맞은 높임말을 넣어 문장을 고치고 따라 쓰세요.
문장
고쳐쓰기

친구가 고쳐 쓴 문장

앞으로는 엄마 <u>말</u>도 잘 듣고 공부도 열심히 <u>할게</u>.

↓

앞으로는 엄마 <u>말씀</u>도 잘 듣고 공부도 열심히 <u>할게요</u>.

힌트 | 할아버지와 같이 웃어른께는 '생신', '드릴게요'와 같은 높임말을 써야 해요.

할아버지, 내년 <u>생일</u>에는 꼭 가서 축하해 <u>줄게</u>.

↓

할	아	버	지	,	내	년	V			에
는	V	꼭	V	가	서	V	축	하	해	V
		.								

◉ 다음 만화를 보고, 서윤이가 엄마께 어떤 다짐이나 약속의 말을 넣어 사과하는 글을 쓰면 좋을지 보기 에서 골라 쓰세요.

보기

> 건강을 위해 정성껏 요리해
> 주신 반찬을 골고루 먹을게요.

> 채소와 고기를 골고루 먹고
> 튼튼한 아이가 될게요.

 힌트 보기 의 두 가지 내용 중 어떤 것을 골라 써도 모두 답이 될 수 있어요!

엄마, 앞으로는 _____

_____

_____

_____

4일 친구에게 사과하는 글 쓰기

밤톨
서 있는 친구가 다른 친구들에게 뭔가 잘못한 것 같아.

달래
같이 놀면 좋을 텐데.

글봇
친구들에게 미안하다고 사과하는 글을 쓰고 다시 친하게 지내면 좋겠다.

오늘은 친구에게 잘못한 일이 있다면 사과하는 글을 한 편 써 봐요~!

친구에게 사과하는 글을 써라!

친구에게 사과하는 글을 쓸 때에는

먼저 어떤 일이 있었는지 쓰고, 미안한 마음을 표현해요.

그리고 다짐이나 약속을 써야 해요.

정성껏 바른 글씨로 진심을 담아 쓰는 것도 잊지 말아요.

◉ 사다리 타기를 하여 도착한 곳의 낱말을 따라 쓰며, 친구에게 사과하는 글을 쓰는 방법을 알아보아요.

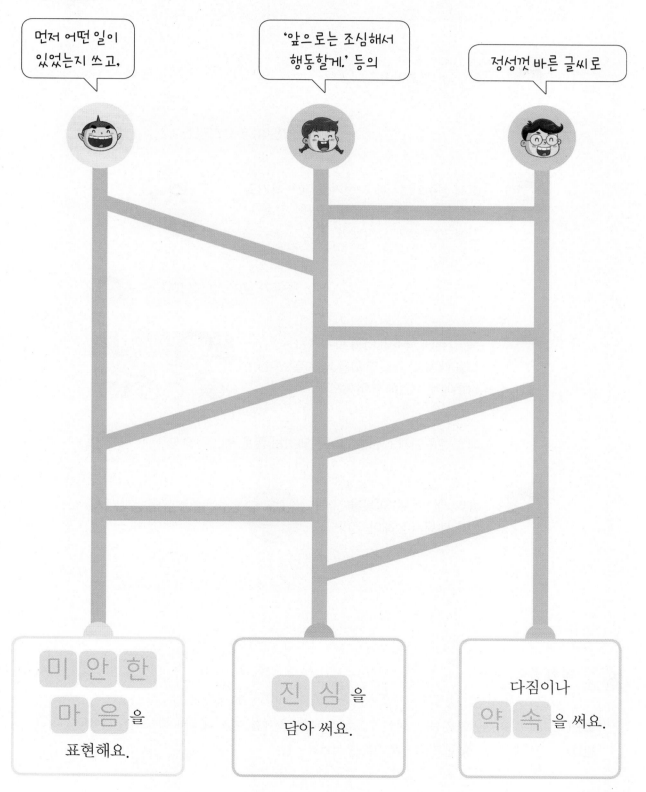

친구에게 사과하는 글 쓰기

○ 다음 대화를 읽고, 예원이가 되어 성주에게 사과하는 글을 쓰세요.

🐭 **어휘 풀이**

▼**고민**| 괴로울 고 苦, 번민할 민 悶| 마음속으로 괴로워하고 애를 태움. 예 아빠께 고민을 털어놓았다.

▼**반드시**   틀림없이 꼭. 예 반드시 약속 시간을 지켜라.

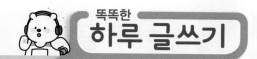

낱말 쓰기

 다음 그림을 보고, 예원이가 잘못한 일을 생각하며 빈칸에 알맞은 말을 각각 쓰세요.

(1) 숙제를 하다가 성주와의 ㅇ ㅅ ㅅ ㄱ 에 늦었다.

(2) 사과하지 않고 오히려 성주에게 ㅎ 를 냈다.

문장 쓰기

 예원이가 성주에게 미안한 마음을 어떻게 표현해야 할지 빈칸에 알맞은 말을 보기 에서 골라 각각 쓰세요.

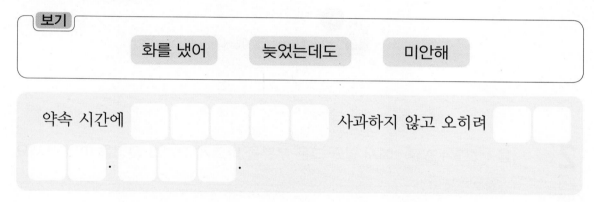

> 보기
>
> 화를 냈어   늦었는데도   미안해

약속 시간에 ☐ ☐ ☐ ☐   사과하지 않고 오히려 ☐ ☐

☐ ☐ ☐ ☐ ☐ .

한 편 쓰기

 예원이가 성주에게 사과하는 글을 쓸 때 다짐이나 약속을 어떻게 쓰면 좋을지 보기 에서 골라 쓰세요.

> 보기
>
> 바로 사과할게   약속 시간을 잘 지키고

앞	으	로	는	V					V				V
V					,	잘	못	한	V	일	이	V	
있	으	면	V				V						

4일 똑똑한 하루 글쓰기 고쳐쓰기

1
낱말
고쳐쓰기

다음 보기 에서 밑줄 그은 낱말 대신 바꿔 쓰기에 알맞은 낱말을 골라 바꿔 써 보세요.

> **보기**
>
> **반드시** 틀림없이 꼭.
>
> **반듯이** 작은 물체, 또는 생각이나 행동 따위가 비뚤어지거나 기울거나 굽지
> 아니하고 바르게.

집에 가서 친구에게 사과하는 글을 <u>기필코</u> 쓸 거야.

→ 집에 가서 친구에게 사과하는 글을 ☐ ☐

☐ 쓸 거야.

힌트

'기필코'는 '틀림없이 꼭.'이라는 뜻이에요.

2
문장
고쳐쓰기

다음 친구가 쓴 글 에서 밑줄 그은 부분을 바르게 고치고 문장을 따라 쓰세요.

> **친구가 쓴 글**
>
>
>
> 성민아, 나 때문에 옷에 음료수를 <u>쏬닸자나</u>. 장난을 쳐서 미아내. <u>아프로는</u> 조심히 행동할게.

성	민	아	,		나	∨	때	문	에	∨		옷
에	∨	음	료	수	를	∨						.
장	난	을	∨	쳐	서	∨					.	
			∨	조	심	히	∨	행	동	할	게	.

● 다음 보기 에서 잘못한 일 중 하나를 골라 친구에게 사과하는 글을 써 보세요.

보기

친구에게 거짓말을 한 것

친구가 책을 읽고 있는데 방해한 것

친구의 물건을 사용하고 돌려주지 않은 것

내 기분이 좋지 않아서 친구에게 함부로 말한 것

_____ 아(야),

_____

_____

_____

_____

_____

_____

_____

_____ (이)가

힌트 　보기 의 상황에서 하나를 골라 잘못한 일을 쓰고,
미안한 마음을 표현한 뒤에 다짐이나 약속의 말을 써 봐요.

부모님께 사과하는 글을 써라!

부모님께 사과하는 글을 쓸 때에는 공손한 높임 표현을 사용해요.

높임 표현을 사용할 때에는 '-습니다'나 '-요'를 써서 문장을 끝맺거나 '-시-'를 사용해요.

'께서'나 '께'를 사용하고, 높임의 뜻이 있는 특별한 낱말을 사용할 수도 있답니다.

높임 표현을 잘 지키며 잘못한 일을 쓰고 미안한 마음과 다짐이나 약속을 써 보세요.

◉ 부모님께 사과하는 글을 쓰는 방법에 맞게 빈칸에 알맞은 말을 쓰고, 퍼즐판에서 찾아 ◯표
를 하세요.

❶ [ ][ ][ ] 높임
표현을 사용해요.

'-❷ [ ][ ][ ]'나 '-요'로
문장을 끝맺을 수 있어요.

공	사	미	낱
손	구	소	말
한	이	비	버
솔	습	니	다

높임의 뜻이 있는 특별한
❸ [ ][ ] 을 사용해요.

5일 부모님께 사과하는 글 쓰기

● 다음 글을 읽고, 아버지께 사과하는 글을 완성해 보세요.

어머니께

안녕하세요, 어머니. 저 찬규예요.

그제 어머니께서 제 방 청소를 하라고 하셨는데 제가 어머니께 짜증을 냈지요? 책을 조금 더 읽고 싶어서 저도 모르게 그랬어요. 어머니께 독서를 한 후에 청소를 하겠다고 말씀드렸어야 했는데 짜증부터 내서 정말 죄송해요. 다음부터는 미리 방 청소도 잘하고, 어머니께서 말씀하실 때 짜증부터 내지 않을게요.

그럼 안녕히 계세요.

20○○년 ○○월 ○○일

찬규 올림

🐻 어휘 풀이

▼독서 | 읽을 독 讀, 글 서 書 | 책을 읽음. ⑩ 독서를 많이 하면 상상력이 커진다.
▼미리   어떤 일이 생기기 전에. 또는 어떤 일을 하기에 앞서.
　　⑩ 나들이를 가기 전에 도시락을 미리 준비했다.

▶정답 및 해설 20쪽

낱말 쓰기

 다음은 찬규의 글을 읽고 비슷한 경험을 떠올려 예진이가 잘못한 일을 쓴 것입니다. 빈칸에 알맞은 낱말을 쓰세요.

거실을 ☐☐ 하라는 아버지께 ☐☐ 을 냈다.

문장 쓰기

 1에서 답한 일에 대한 예진이의 마음으로 알맞은 것을 보기 에서 골라 쓰세요.

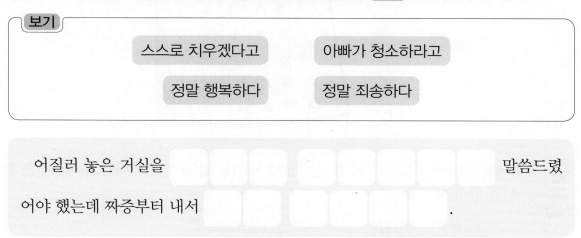

보기

스스로 치우겠다고   아빠가 청소하라고

정말 행복하다   정말 죄송하다

어질러 놓은 거실을 ☐☐☐☐☐☐☐☐ 말씀드렸어야 했는데 짜증부터 내서 ☐☐☐☐☐☐☐☐.

한 편 쓰기

 자신이 예진이라면 아버지께 사과하는 글에 쓰고 싶은 다짐이나 약속을 보기 에서 한 가지 골라 쓰세요.

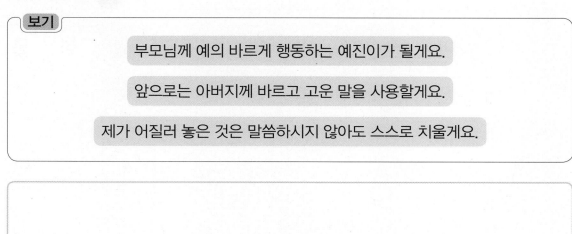

보기

부모님께 예의 바르게 행동하는 예진이가 될게요.

앞으로는 아버지께 바르고 고운 말을 사용할게요.

제가 어질러 놓은 것은 말씀하시지 않아도 스스로 치울게요.

▶ 정답 및 해설 20쪽

1
낱말
고쳐쓰기

다음 두 낱말의 뜻을 보고, 잘못 사용된 낱말을 각각 바르게 고쳐 쓰세요.

> 그제   어제의 전날. 예 <u>그제</u> 어머니께 짜증을 냈다.
>
> 모레   내일의 다음 날. 예 <u>모레</u> 대청소를 할 것이다.

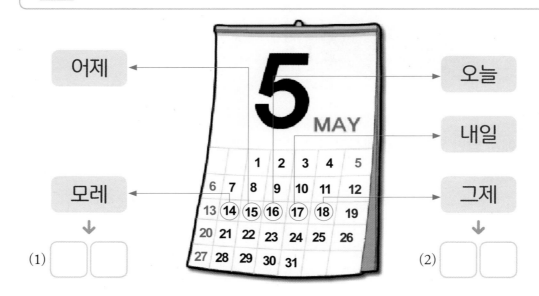

어제

오늘

내일

모레

그제

(1) ☐ ☐

(2) ☐ ☐

2
문장
고쳐쓰기

〔친구가 고쳐 쓴 문장〕처럼 알맞은 높임 표현을 넣어 미안한 마음을 표현하는 문장을 고치고 따라 쓰세요.

〔친구가 고쳐 쓴 문장〕

<u>자는</u> 아버지의 발을 실수로 밟아서 죄송했다.

↓

<u>주무시는</u> 아버지의 발을 실수로 밟아서 죄송했다.

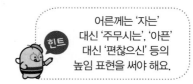
힌트 어른께는 '자는' 대신 '주무시는', '아픈' 대신 '편찮으신' 등의 높임 표현을 써야 해요.

아	픈	∨	어	머	니	께	∨	화	를	∨
내	서	∨	죄	송	했	다	.			

↓

				∨	어	머	니	께	∨	화
를	∨	내	서	∨	죄	송	했	다	.	

● 아버지나 어머니께 잘못한 일을 한 가지 떠올려 사과하는 글을 편지로 쓰세요.

_____께

20____년 ____월 ____일

_____올림

힌트 공손한 표현을 사용하여 어떤 일이
있었는지 쓰고, 미안한 마음을 써요.
앞으로의 다짐이나 약속도 써 보아요.

3
주

생활 어휘 다음 만화를 보며 속담의 뜻을 알아보고, 상황에 맞게 속담을 써 보세요.

다 된 죽에 코 풀기

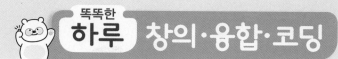

▶ 정답 및 해설 21쪽

3
주

속담의 뜻을 알아봐요!

다 된 죽에 코 풀기

이 속담은 "거의 다 된 일을 망쳐 버리는 주책없는 행동이나, 남의 다 된 일을 나쁜 방법으로 방해한다."라는 뜻이랍니다.

이제 이 속담을 넣어 상황에 맞게 써 볼까요?

"□□□□□□

□"를 한다더니 내가 힘들게 세운 도미노

를 형이 넘어뜨렸다.

● 민아가 징검다리를 건너가려고 해요. 민아가 무사히 강을 건널 수 있도록 나와 있는 뜻에 알맞은 낱말이 적힌 돌을 모두 색칠해 징검다리를 완성해 보세요.

- 어떤 일이 있고 난 바로 다음.
- 아랫사람의 잘못을 꾸짖는 말.
- 마음속으로 괴로워하고 애를 태움.
- 틀림없이 꼭.
- 책을 읽음.

 창의 3주에 나왔던 **낱말과 그 뜻**을 익히며 민아가 무사히 강을 건널 수 있도록 징검다리를 색칠해 봅니다.

◉ 희수의 말을 읽고, 다음 화살표를 따라 문구점에서 장난감 가게까지 길을 찾아갈 때에 빈 부분에 들어갈 알맞은 코딩 블록에 ◯표를 하세요.

동생의 장난감을 망가뜨려서 미안해.
문구점에서 사과하는 글을 쓸
카드를 사고, 장난감 가게에 가서
새 장난감을 사야지.

희수

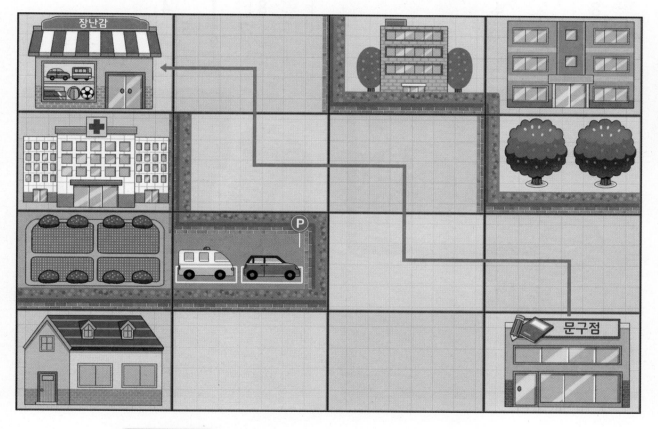

코딩 명령

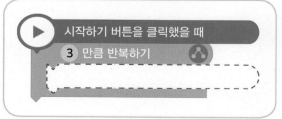

▶ 시작하기 버튼을 클릭했을 때
　3 만큼 반복하기 🔺

(1) 오른쪽으로 1칸, 아래쪽으로 1칸 이동하기 ⇄ (　　　)

(2) 위쪽으로 1칸, 왼쪽으로 1칸 이동하기 ⇄ (　　　)

 코딩　원하는 방향으로 이동하려면 **코딩 블록을 어떻게 조합**하면 될지 생각해 봅니다.

● 동윤이는 30분만 게임을 하기로 한 엄마와의 약속을 지키지 않았어요. 다음 그림을 보고, 동윤이가 얼마 동안 게임을 했는지 빈칸에 각각 숫자를 쓰세요.

게임을 시작한 시간은 ☐ 시 ☐ 분이고, 게임을 끝마친 시간은 ☐ 시 ☐ 분이므로 동윤이는 ☐ 시간 ☐ 분 동안 게임을 했어요.

융합 국어+수학   3일차에 나왔던 동윤이의 일기 내용을 떠올려 보고, **게임을 하는 데 걸린 시간을 계산**해 봅니다.

● 다음 보기 의 화살표를 따라 길을 갈 때 만난 말들을 차례대로 빈칸에 넣어 아빠께 사과드리는 글을 완성하세요.

보기

↓ → ↓ → ↓ ↓ → →

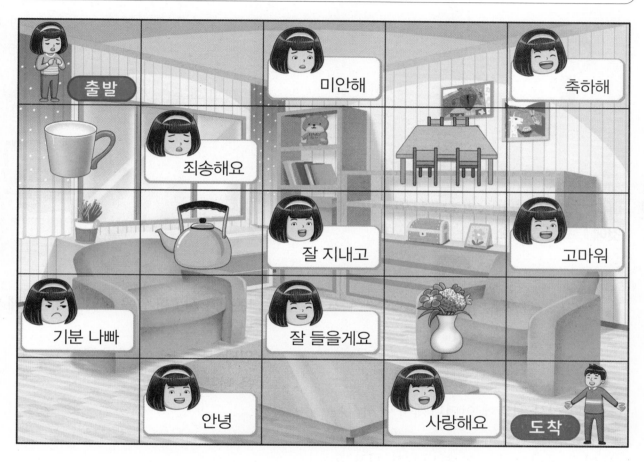

 아빠, 어제 동생과 싸워서 아빠를 속상하게 해서 □□□. 항상

동생을 잘 돌보라고 하셨는데 앞으로는 동생과 □□□, 아빠 말씀

을 □□□□□. □□□□.

서윤 올림

창의 아빠께 죄송한 마음을 전할 수 있는 말에 대해 알아봅시다.

1 다음은 어떤 글에 대한 설명인지 빈칸에 알맞은 말을 쓰세요.

> 미안한 마음과 앞으로의 다짐과 약속을 읽는 사람에게 전하는 글이야.

ㅅ ㄱ 하는 글

2 다음 그림을 보고 떠올린 잘못한 일로 알맞은 것에 ◯표를 하세요.

(1) 저녁 식사 시간에 어머니께서 아끼시는 컵을 깨뜨렸다. ( )

(2) 어제 아침에 친구와 부딪쳐서 친구 옷에 음료수를 쏟았다. ( )

글쓰기

3 미안한 마음을 나타내기 위한 알맞은 표현을 골라 따라 쓰세요.

정말

고 마 워 .
미 안 해 .

[4~5] 다음 글을 읽고, 물음에 답하세요.

게임을 30분만 하고 공부를 하기로 한 약속을 잊고 자동차 경주 게임에 푹 빠져 시간 가는 줄 모르고 했다. 정신을 차리고 시계를 보니 시곗바늘이 3시 30분을 가리키고 있었다.

게임을 시작할 때는 정해진 시간 동안만 해야지 했는데 게임을 시작하고 나니 멈출 수가 없었다.

엄마와의 약속을 지키지 못해 너무 죄송했고 나 자신에게도 실망스러웠다.

4 글쓴이가 잘못한 일은 무엇인지 빈칸에 알맞은 낱말을 쓰세요.

• 엄마와의 약속을 지키지 않고 ㄱ ㅇ 을 너무 많이 했다.

5 이 글의 글쓴이가 엄마께 드릴 글에 들어갈 다짐이나 약속으로 알맞지 <u>않은</u> 것에 ×표를 하세요.

(1) 앞으로는 게임하는 시간을 줄일게요. ( )

(2) 계획을 세워서 공부도 열심히 할게요. ( )

(3) 게임을 더 열심히 해서 꼭 게임에서 1등을 할게요. ( )

▶ 정답 및 해설 22쪽

[6~7] 다음 상황을 보고, 물음에 답하세요.

숙제를 하다가 성주와의 약속 시간에 늦었다.

사과하지 않고 오히려 성주에게 화를 냈다.

6 이 일에 대하여 예원이가 성주에게 사과하는 글을 쓰려고 합니다. 예원이가 성주에게 전할 마음으로 알맞은 것에 ○표를 하세요.

(1) 미안한 마음　　(　　)
(2) 고마운 마음　　(　　)
(3) 행복한 마음　　(　　)

7 예원이가 성주에게 쓴 사과하는 글에 들어갈 다짐이나 약속을 바르게 말한 친구의 이름을 쓰세요.

> **밤톨**: 앞으로는 약속 시간에 늦었다고 나에게 화내지 않길 바라.
> **글봇**: 앞으로는 약속 시간을 잘 지키고, 잘못한 일이 있으면 바로 사과할게.

(　　　　　)

[8~9] 다음 글을 읽고, 물음에 답하세요.

> ㉠안녕, 어머니. 나 찬규야.
> 그제 어머니께서 제 방 청소를 하라고 하셨는데 제가 어머니께 짜증을 냈지요? 책을 조금 더 읽고 싶어서 저도 모르게 그랬어요. 어머니께 독서를 한 후에 청소를 하겠다고 말씀드렸어야 했는데 짜증부터 내서 정말 죄송해요. 다음부터는 미리 방 청소도 잘하고, 어머니께서 말씀하실 때 짜증부터 내지 않을게요.

글쓰기

8 ㉠을 공손한 표현으로 바르게 고치고 문장을 따라 쓰세요.

						,		어
머	니	.		V	찬	규	예	
요	.							

9 찬규가 잘못한 일로 알맞은 낱말을 빈칸에 쓰세요.

• 방을 청소하라고 하시는 어머니께 ☐짜 ☐ㅈ 을 냈다.

10 친구와 부모님께 사과하는 글을 쓸 때 미안한 마음을 전하는 표현으로 알맞은 것을 각각 선으로 이으세요.

(1) 친구　•　　•① 죄송해요.
(2) 부모님　•　　•② 미안해.

4주 이번 주에는 무엇을 공부할까? ❶

독서 감상문을
써 보자!

1-1 독서 감상문을 쓸 때 들어갈 내용으로 알맞지 <u>않은</u> 것을 골라 ×표를 하세요.

책 내용	책을 읽은 장소
책을 읽게 된 까닭	책을 읽고 생각하거나 느낀 점

1-2 다음 독서 감상문의 빈칸에 들어갈 내용으로 알맞은 것을 골라 따라 쓰세요.

읽은 날	20○○년 ○○월 ○○일		
책 제목	대단한 줄다리기	글쓴이	베벌리 나이두

몸집이 작은 산토끼 무툴라는 몸집이 커다란 코끼리 투루와 하마 쿠부에게 무시를 당하자 꾀를 내어 줄다리기를 하자고 말했다. 무툴라는 밧줄의 양 끝을 각각 투루와 쿠부에게 준 다음, 마치 자신과 줄다리기를 하는 것처럼 줄다리기를 시켜 투루와 쿠부를 골려 주었다.

책 가 격

책 내 용

표 지

사 진

▶ 정답 및 해설 23쪽

2-1 독서 감상문을 쓸 때 가장 먼저 해야 할 일을 골라 기호를 쓰세요.

> ㉮ 책 내용을 떠올린다.
> ㉯ 독서 감상문을 쓸 책을 고른다.
> ㉰ 인상 깊은 까닭을 생각해 본다.
> ㉱ 인상 깊은 장면이나 내용을 정한다.
> ㉲ 책에 대한 생각이나 느낌을 정리한다.

(   )

4
주

2-2 다음은 독서 감상문을 쓰는 차례 중 어떤 과정에 해당하는지 빈칸에 알맞은 말을 한 글자로 쓰세요.

독서 감상문을 쓸 大 을 고른다.

책을 읽게 된 까닭 쓰기

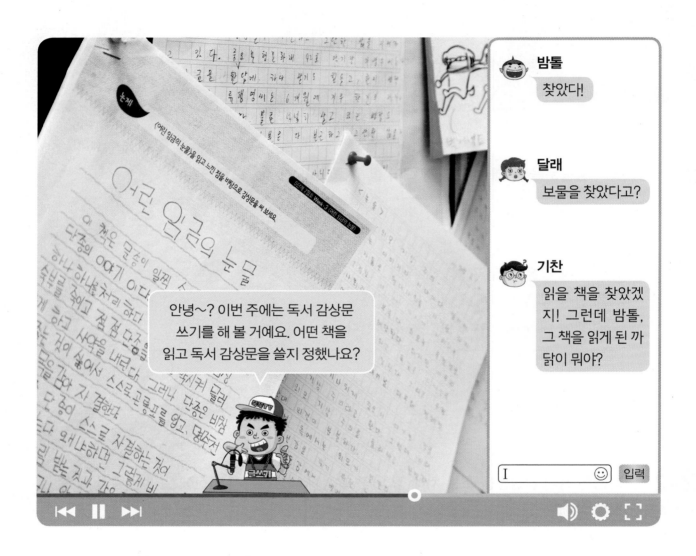

독서 감상문의 책을 읽게 된 까닭을 써라!

독서 감상문은 책을 읽고 책을 읽게 된 까닭, 책 내용,

책을 읽으면서 든 생각이나 느낌 등을 쓴 글이에요. 그 책을 고른 까닭,

그 책을 처음 대했을 때의 느낌 등을 떠올려 책을 읽게 된 까닭을 써 보세요.

● 그림에 맞는 퍼즐 모양을 찾아 ○표를 하고, 독서 감상문에 들어갈 내용 중 무엇에 해당하는지 알아보아요.

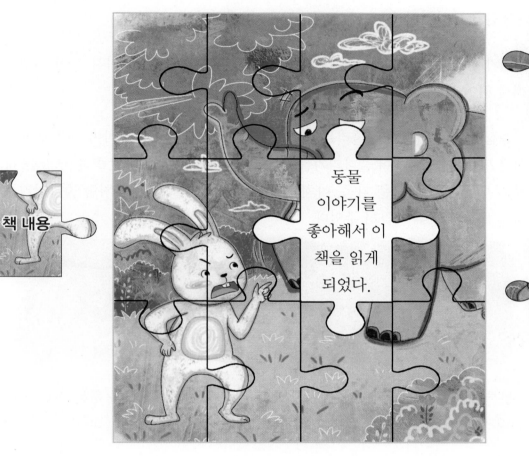

생각이나
느낌

책 내용

동물 이야기를 좋아해서 이 책을 읽게 되었다.

책을
읽게 된
까닭

4
주

 책을 읽게 된 까닭을 생각하며 문장을 따라 쓰세요.

동	물	V	이	야	기	를	V	좋	아	해
서	V	이	V	책	을	V	읽	게	V	되	었
다	.									

3단계 • **139**

책을 읽게 된 까닭 쓰기

● 다음 독서 감상문을 읽고, 차례에 따라 책을 읽게 된 까닭에 들어갈 내용을 쓰세요.

읽은 날	20○○년 ○○월 ○○일		
책 제목	대단한 줄다리기	글쓴이	베벌리 나이두
책을 읽게 된 까닭	내가 동물들이 주인공으로 나오는 이야기책을 좋아한다고 하자 사서 선생님께서 읽어 보라고 추천해 주셨다.		
책 내용	몸집이 작은 산토끼 무툴라는 몸집이 커다란 코끼리 투루와 하마 쿠부에게 무시를 당하자 꾀를 내어 줄다리기를 하자고 말했다. 무툴라는 밧줄의 양 끝을 각각 투루와 쿠부에게 준 다음, 마치 자신과 줄다리기를 하는 것처럼 줄다리기를 시켜 투루와 쿠부를 골려 주었다. 		
생각이나 느낌	투루와 쿠부가 상대가 누구인지도 모르고 힘들게 줄다리기를 하는 장면이 너무 우스웠다. 나도 무툴라처럼 지혜를 갖고 싶다.		

🐭 **어휘 풀이**

▼ **추천**|옮길 추 推, 드릴 천 薦|　어떤 조건에 알맞은 사람이나 물건을 책임지고 소개함.
　　🗨 다솔이를 학급 회장으로 <u>추천</u>했다.

▼ **몸집**　몸의 크기나 부피. 🗨 이제는 내 <u>몸집</u>이 엄마보다 크다.

▼ **무시**|없을 무 無, 볼 시 視|　다른 사람을 얕보거나 하찮게 여김.
　　🗨 겉모습만 보고 다른 사람을 <u>무시</u>해서는 안 된다.

▼ **꾀**　일을 꾸미거나 해결하기 위한 뛰어나고 빠른 생각이나 방법.
　　🗨 옛날이야기에서 토끼는 <u>꾀</u>가 많은 동물로 많이 등장한다.

낱말 쓰기

다음 그림을 보고, 보기 에서 알맞은 낱말을 골라 빈칸에 각각 쓰세요.

> **보기**
>
> 읽고   찾고   전혀   무척

(1) 내 짝이 쉬는 시간에도 책을 ☐ ☐ 있었다.

(2) ☐ ☐ 재미있어 보여서 나도 그 책을 빌려 읽었다.

문장 쓰기

1에서 일어난 일을 두 문장으로 정리하여 쓰세요.

❶ 내 짝이 쉬는 시간에도 ☐ ☐ ☐ ☐ ☐ ☐ .

❷ ☐ ☐ 재미있어 보여서 나도 그 책을 ☐ ☐ ☐ ☐ ☐ .

한 편 쓰기

2에서 쓴 문장을 넣어 책을 읽게 된 까닭을 완성하세요.

	❶내	∨	짝	이	∨			∨		
	∨			∨			∨			
❷		∨				∨				∨
		∨		∨			∨		∨	읽
었	다	.								

▶ 정답 및 해설 23쪽

1 낱말 고쳐쓰기

다음 두 낱말의 뜻과 예를 보고, 문장의 밑줄 그은 낱말을 각각 바르게 고쳐 쓰세요.

> 꽤 보통보다 조금 더한 정도로. ㉐ 우체국까지는 꽤 멀었다.
>
> 꾀 일을 꾸미거나 해결하기 위한 뛰어나고 빠른 생각이나 방법.
> ㉐ 채민이는 꾀가 많다.

(1) 무툴라는 <u>꽤</u>를 내어 쿠부에게 줄다리기를 하자고 말했다.

꽤 → ☐

(2) 우산도 없는데 갑자기 비가 <u>꾀</u> 많이 내려 당황스러웠다.

꾀 → ☐

2 문장 고쳐쓰기

다음 〈친구가 고쳐 쓴 문장〉과 같이 알맞은 높임말을 넣어 문장을 고치고 따라 쓰세요.

◆ 친구가 고쳐 쓴 문장 〉

사서 선생님<u>이</u> 읽어 보라고 추천해 <u>주었다</u>.

↓

사서 선생님<u>께서</u> 읽어 보라고 추천해 <u>주셨다</u>.

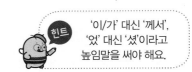

힌트 '이/가' 대신 '께서', '었' 대신 '셨'이라고 높임말을 써야 해요.

| 삼 | 촌 | <u>이</u> | ∨ | 서 | 점 | 에 | 서 | ∨ | 책 | 을 | ∨ |
| 사 | ∨ | <u>주</u> | <u>었</u> | <u>다</u> | . | | | | | | |

↓

| | 삼 | 촌 | | ∨ | 서 | 점 | 에 | 서 | ∨ | 책 |
| 을 | ∨ | 사 | ∨ | | | | . | | | |

▶ 정답 및 해설 23쪽

● 다음 친구가 쓴 글 을 보고, 자신은 어떤 책을 왜 읽게 되었는지 쓰세요.

베벌리 나이두 글

친구가 쓴 글

내 짝이 추천해 주어서
『대단한 줄다리기』 라는
책을 읽게 되었어.

표지 그림이 마음에 들어서
『대단한 줄다리기』 라는
책을 읽게 되었어.

4
주

내 이름

❶ _____

❷ 『_____』(이)라

는 책을 읽게 되었어.

힌트
❶에는 책을 왜 읽게 되었는지 쓰고,
❷에는 자신이 읽은 책 제목을 써야 해요.
친구가 쓴 글 에 나오는 말을 이용하여 써도 돼요.

줄거리 요약하기 ①

밤톨
나 피리 잘 부는데!

달래
그렇다면 네가 바로 피리 부는 사나이?

기찬
얘들아~, 장난 그만하고 책부터 읽자!

오늘은 책 『피리 부는 사나이』를 읽고 원인과 결과에 따라 줄거리를 요약해 볼까요?

원인과 결과에 따라 줄거리를 요약해라!

원인은 어떤 일이 일어난 까닭, 결과는 원인 때문에 일어난 일이에요. 원인과 결과에 따라

독서 감상문의 '책 내용'에 들어갈 줄거리를 요약할 때에는 먼저 일어난 일(원인)과

먼저 일어난 일 때문에 그 뒤에 일어난 일(결과)이 어떻게 달라지는지 정리해요.

그런 다음 이어 주는 말로 원인과 결과를 이어 주면 된답니다.

▶ 정답 및 해설 24쪽

● 사다리 타기를 하여 도착한 곳의 낱말을 따라 쓰며, 원인과 결과에 따라 줄거리를 요약하는 방법을 알아보아요.

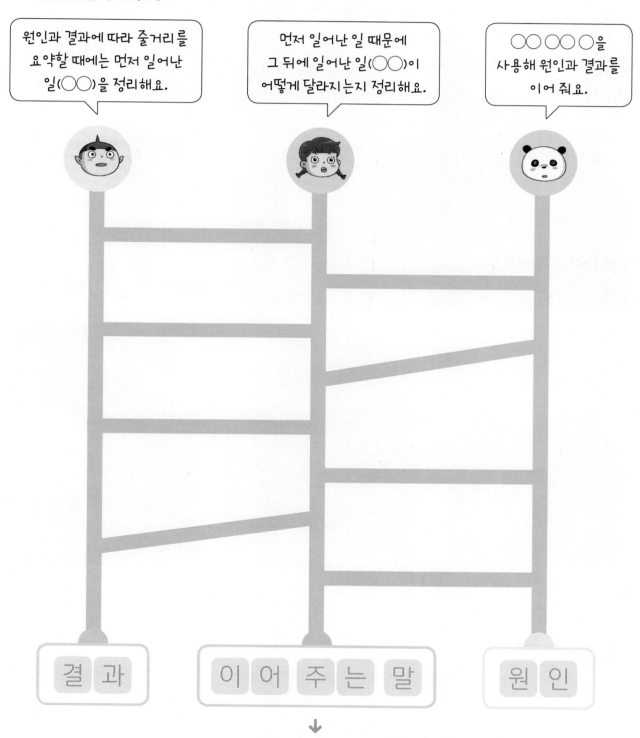

예 <u>독일의 어느 작은 마을에 쥐들이 들끓었어요. 그래서 마을이 지저분해졌어요.</u>
　　　　원인　　　　　　　　　이어 주는 말　　　　결과

줄거리 요약하기 ①

◉ 다음 이야기를 읽고, 원인과 결과에 따라 줄거리를 요약해서 쓰세요.

피리 부는 사나이

어휘 풀이

▼**들끓었어요** 한곳에 여럿이 많이 모여 혼잡하게 마구 움직였어요.
　　㉠ 더워지자 바닷가는 사람들로 들끓었어요.

▼**냥**|두 냥 兩| 옛날에, 돈을 세던 단위. ㉠ 돈 열 냥만 빌려주세요.

낱말 쓰기

1 단계

다음은 「피리 부는 사나이」에서 일어난 중요한 일을 정리한 것입니다. 빈칸에 알맞은 말을 각각 쓰세요.

쥐들이 피리 소리를 따라가고 있어.

우아, 만세! 쥐들이 모두 없어졌다.

(1) 사나이가 ⬜ㅍ⬜ ⬜ㄹ⬜ 를 불어 쥐들을 강에 빠뜨렸다.

(2) ⬜ㅈ⬜ ⬜ㄷ⬜ 이 모두 없어졌다.

문장 쓰기

2 단계

1에서 일어난 일을 두 문장으로 정리하여 쓰세요.

❶ [원인] 사나이가 ⬜⬜⬜⬜ 쥐들을 강에 빠뜨렸다.

❷ [결과] 그래서 ⬜⬜ 모두 ⬜⬜⬜ .

한 편 쓰기

3 단계

2에서 쓴 문장을 넣어 원인과 결과에 따라 줄거리를 요약해서 쓰세요.

쥐들을 모두 쫓아 주면 천 냥을 받기로 한 사나이가 ❶ _____

_____ 쥐들을 강에 빠뜨렸다.

그래서 ❷ _____

_____

4주

▶정답 및 해설 24쪽

1
낱말
고쳐쓰기

다음 문장의 밑줄 그은 낱말 대신 바꿔 쓰기에 알맞은 낱말을 보기 에서 골라 쓰세요.

보기

덤덤히   특별한 감정이나 느낌을 드러내지 않고 보통 때와 같이.

화들짝   별안간 호들갑스럽게 펄쩍 뛸 듯이 놀라는 모양.

갑자기 쥐 떼가 나타나 사람들이 깜짝 놀랐다.

→ 갑자기 쥐 떼가 나타나 사람들이 ☐ ☐ ☐ 놀랐다.

2
문장
고쳐쓰기

다음 설명을 잘 읽고, 친구가 쓴 글 에서 밑줄 그은 이어 주는 말을 원인과 결과가 잘 드러나도록 바르게 고치고 따라 쓰세요.

 서로 비슷한 내용의 두 문장을 이어 주는 말임.

 앞 문장이 뒤 문장의 원인, 근거, 조건 등이 될 때에 쓰는 이어 주는 말임.

친구가 쓴 글

마을에 갑자기 쥐 떼가 나타나 사람들이 깜짝 놀랐다. <u>그러나</u> 시장은 쥐를 모두 쫓아 주는 사람에게 돈을 주기로 약속했다.

마을에 갑자기 쥐 떼가 나타나 사람들이 깜짝 놀랐다.

				∨	시	장	은	∨	쥐	를	∨	모
두	∨	쫓	아	∨	주	는	∨	사	람	에	게
돈	을	∨	주	기	로	∨	약	속	했	다	.

● 「피리 부는 사나이」의 뒷이야기를 보고, 원인과 결과가 잘 드러나게 요약해서 쓰세요.

피리 부는 사나이가 피리를 불며 마을 밖으로 나가자 아이들이 사나이를 따라갔어요. 그리고 다시는 나타나지 않았습니다.

시	장	은		약	속	한		돈	을	
주	지		않	았	다	.	그	래	서	화
가		난		사	나	이	는			

 힌트 시장이 사나이에게 약속한 돈을 주지 않아서
어떤 일이 일어났는지 정리해서 써 봐요.

3단계 ● **149**

3일 줄거리 요약하기 ②

판판
뭐? 사람이 소가 됐다고?

달래
무슨 소리야?

기찬
그래서 게으름뱅이가 어떻게 됐다는 건지 요약해 주실 분?

똑똑TV의 똑똑이입니다! 오늘은 책 『소가 된 게으름뱅이』를 읽고, 일이 일어난 차례에 따라 줄거리를 요약해 볼까요?

일이 일어난 (차례)에 따라 (줄거리)를 요약해라!

일이 일어난 차례에 따라 독서 감상문의 '책 내용'에 들어갈 줄거리를 요약할 때에는 먼저 누구에게 어떤 일이 일어났는지 정리해요. 그런 다음 사건의 흐름을 한눈에 파악할 수 있도록 일이 일어난 차례에 따라 간추려 쓰면 된답니다.

◉ 일이 일어난 차례에 따라 줄거리를 요약하는 방법에 맞게 빈칸에 알맞은 말을 쓰고, 그 말을
퍼즐판에서 찾아 ◯표를 하세요.

독서 감상문의 '책 내용'
부분에는 ❶ ☐☐☐ 를
요약해서 써요.

일이 일어난 차례에 따라 줄거리를 요약할
때에는 먼저 ❷ ☐☐ 에게
어떤 일이 일어났는지 정리해요.

차	례	방	법
글	줄	누	구
쓴	거	결	슬
이	리	과	기

그런 다음 사건의 흐름을 한눈에
파악할 수 있도록 일이 일어난
❸ ☐☐ 에 따라 간추려 써요.

● 다음 이야기를 읽고, 차례에 따라 줄거리를 요약해서 쓰세요.

소가 된 게으름뱅이

게으름뱅이는 풀밭에서 소들이 한가롭게 풀을 뜯어 먹으며 노는 것을 보았어요.

"저 소는 참 좋겠다. 아무것도 안 하고 놀기만 하니 얼마나 편해? 아, 부러워!"

게으름뱅이는 혼잣말로 중얼거리며 어기적어기적 길을 걸었어요.

그때였어요. 어느 초가집에서 한 할아버지의 목소리가 들렸어요.

"일하기 싫은 사람 어디 없나? 이 쇠머리 탈을 쓰면 소처럼 한가롭게 풀이나 뜯고 낮잠이나 자며 살 수 있는데……."

게으름뱅이는 재빠르게 쇠머리 탈을 머리에 썼어요.

그런데 이게 웬일이에요? 탈을 쓰는 순간 쇠가죽이 얼굴에 찰싹 붙어 버리는 거예요. 비명을 질렀지만 게으름뱅이의 입에서는 '음매애, 음매애' 하는 소 울음소리만 흘러나왔어요.

게으름뱅이는 소가 되고 말았어요!

🐭 **어휘 풀이**

▼ **한가**|한가할 한 閑, 겨를 가 暇|**롭게** 바쁘지 않고 여유가 있는 느낌이 있게.
    예 주말에 한가롭게 책을 읽었다.

▼ **초가**|풀 초 草, 집 가 家|**집** 짚이나 갈대 등을 묶어 지붕 위를 덮은 집.

▼ **탈** 얼굴을 감추거나 달리 꾸미기 위하여 나무, 종이, 흙 따위로 만들어 얼굴에 쓰는 물건.
    예 탈을 쓰고 추는 춤인 탈춤을 보았다.

▼ **비명**|슬플 비 悲, 울 명 鳴| 크게 놀라거나 매우 괴로울 때 내는 소리.
    예 무서운 영화를 보고 비명을 질렀다.

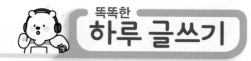

낱말 쓰기

1
단계

다음은 이 이야기에서 게으름뱅이가 겪은 일을 차례대로 나타낸 것입니다. 보기 에서 알맞은 말을 골라 빈칸에 각각 쓰세요.

보기

무서워 부러워 쇠머리 탈 양머리 탈 소 개

(1) 소를 □□□ 하였다.

(2) 머리에 □□ □□을 썼다.

(3) 게으름뱅이는 □가 되었다.

문장 쓰기

2
단계

1에서 일어난 일을 두 문장으로 정리하여 쓰세요.

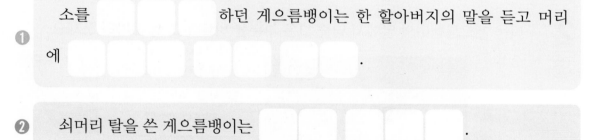

❶ 소를 □□□ 하던 게으름뱅이는 한 할아버지의 말을 듣고 머리에 □□□□□□□.

❷ 쇠머리 탈을 쓴 게으름뱅이는 □□□□.

한 편 쓰기

3
단계

2에서 완성한 문장을 이용해 이 이야기의 줄거리를 요약해서 쓰세요.

1 낱말 고쳐쓰기

다음 밑줄 그은 낱말을 바르게 고쳐 쓴 것을 골라 빈칸에 쓰세요.

게으름뱅이는 혼자말로 중얼거리며 어기적어기적 길을 걸었어요.

이게 윈일이에요? 탈을 쓰는 순간 쇠가죽이 얼굴에 찰싹 붙어 버리는 거예요.

(1) (혼잔말 , 혼잣말)

↓

(2) (웬일이에요 , 왠일이에요)

↓

2 문장 고쳐쓰기

다음 게으름뱅이의 말에서 밑줄 그은 부분을 바르게 고치고 따라 쓰세요.

소는 참 조겠다. 아무것도 않 하고 놀기만 하니 얼마나 펴네?

소	는	V	참	V			.	아	무
것	도	V		V		V	놀	기	만	V
하	니	V	얼	마	나	V		?	

똑똑한
하루 글쓰기 마무리
내 생각 쓰기로 하루 마무리

● 다음은 「소가 된 게으름뱅이」의 뒷이야기입니다. 일이 일어난 차례에 따라 일어난 일을 요약해서 쓰세요.

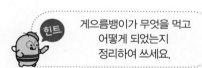

일	이		너	무		힘	들	었	던
게	으	름	뱅	이	는				

생각이나 느낌 쓰기

기찬
독서 감상문에서 생각이나 느낌을 쓰기 어려워하는 사람들에게 강력 추천!

달래
정말? 그렇다면 초집중!

밤톨
나도 집중!

친구들, 집중! 오늘은 독서 감상문에 생각이나 느낌을 잘 쓰는 비법을 공개할 거예요.

I 😊 입력

독서 감상문에 들어갈 생각이나 느낌을 써라!

독서 감상문에 들어갈 생각이나 느낌을 쓸 때에는

새롭게 알거나 생각한 점, 책을 읽고 느낀 점을 써요.

생각이나 느낌에 대한 까닭을 함께 쓰거나

다양한 표현을 사용하면 좋아요.

● 사다리 타기를 하여 도착한 곳의 낱말을 따라 쓰며, 독서 감상문에 들어갈 생각이나 느낌을 쓰는 방법을 알아보아요.

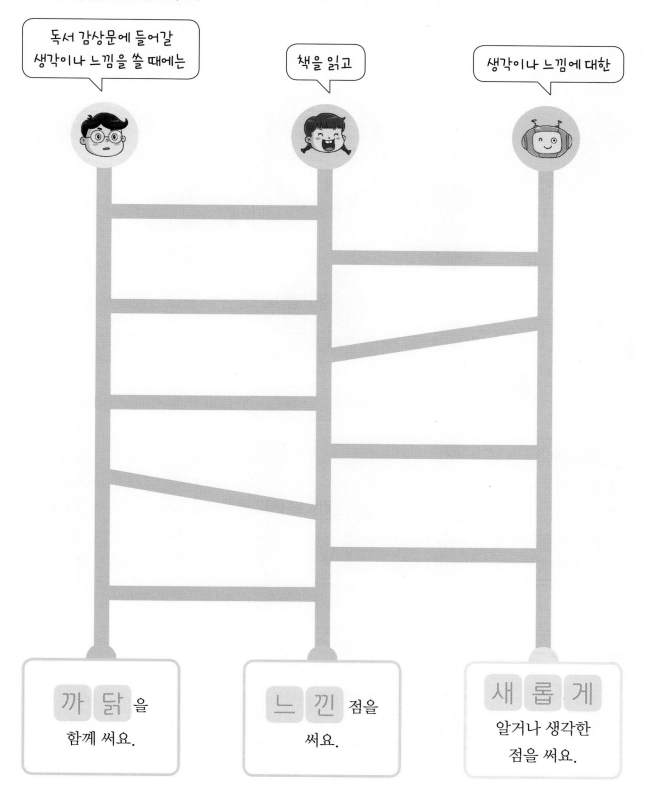

● 다음 내용을 바탕으로 ㉠ 안에 들어갈 생각이나 느낌을 쓰세요.

독서 감상문을 쓰기 위해 떠올린 내용

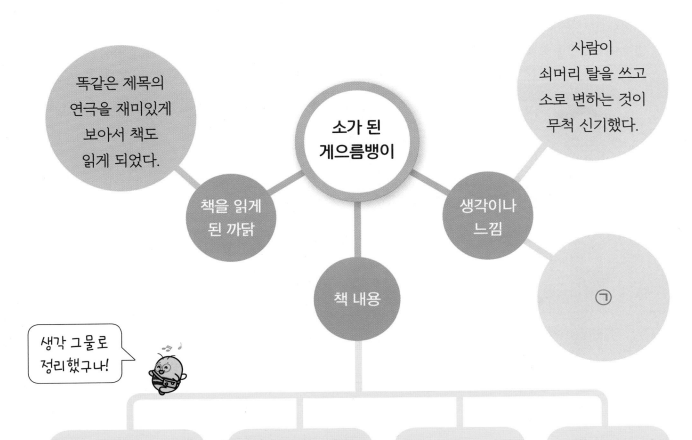

생각 그물로 정리했구나!

게으름뱅이는 소처럼 한가롭게 지낼 수 있다는 할아버지의 말을 듣고 쇠머리 탈을 쓰고 소로 변했다.

할아버지는 소로 변한 게으름뱅이를 농부에게 팔며 소가 무를 먹으면 절대 안 된다고 했다.

소가 된 게으름뱅이는 하루 종일 힘들게 일하게 되자 무를 먹기로 결심했다.

무를 먹은 게으름뱅이는 사람으로 돌아왔고, 아주 부지런한 사람이 되었다.

생각 그물이란?

생각 그물이란 마음속에 지도를 그리듯이 줄거리를 이해하며 정리하는 방법이에요. 글을 쓰기 전에 주제에 대한 꼬리에 꼬리를 무는 연결된 생각의 고리를 이어 나가며 마치 지도를 그리듯 써 나가요. 그런 다음 주제와 관련된 내용은 남기고, 그렇지 않은 내용은 빼면 생각 그물을 완성할 수 있어요.

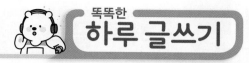
낱말 쓰기

1 다음은 인상 깊은 장면의 내용을 정리한 것입니다. 그림 속 인물의 말을 잘 읽고, 빈칸에 알맞은 말을 각각 쓰세요.

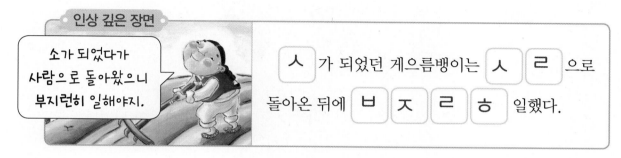

인상 깊은 장면

소가 되었다가 사람으로 돌아왔으니 부지런히 일해야지.

ㅅ 가 되었던 게으름뱅이는 ㅅ ㄹ 으로 돌아온 뒤에 ㅂ ㅈ ㄹ ㅎ 일했다.

문장 쓰기

2 **1**에서 답한 장면에 대한 생각이나 느낌이 잘 드러나도록 보기 에서 알맞은 내용을 골라 각각 쓰세요.

보기

소가 되지   소가 웃지   아름다워지려는   부지런해지려는

❶ ☐☐☐☐☐☐☐ 게으름뱅이의 마음에 공감할 수 있었다.

❷ 나도 ☐☐☐☐ 않도록 게을러지지 말아야겠다.

한 편 쓰기

3 **2**에서 쓴 문장을 넣어 독서 감상문에 들어갈 생각이나 느낌을 쓰세요.

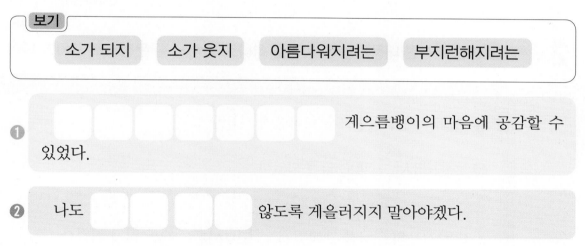

		❶						∨	
				∨			∨		∨
수	∨	있	었	다	.	❷나	도	∨	∨
			∨				∨		
말	아	야	겠	다	.				

1 낱말 고쳐쓰기

다음 문장에서 아주 를 뜻이 비슷한 다른 낱말로 고쳐 쓰려고 합니다. 보기 에서 바꿔 쓰고 싶은 낱말을 골라 바꿔 쓰세요.

보기

| 매우 | 무척 | 굉장히 |

힌트 어떤 말로 바꾸어 써도 모두 답이 될 수 있어요. 자기가 바꿔 쓰고 싶은 낱말을 골라 보세요.

게으름뱅이는 아주 부지런한 사람이 되었다.

↓

게으름뱅이는 　　　　 부지런한 사람이 되었다.

2 문장 고쳐쓰기

다음 칠판에 적힌 내용처럼 두 문장을 하나로 합쳐서 한 문장으로 고치고 따라 쓰세요.

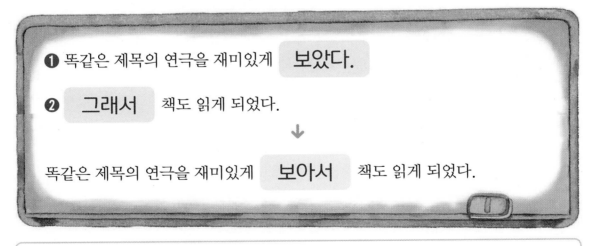

❶ 똑같은 제목의 연극을 재미있게 보았다.

❷ 그래서 책도 읽게 되었다.

↓

똑같은 제목의 연극을 재미있게 보아서 책도 읽게 되었다.

❶ 책 표지가 재미있어 보였다.
❷ 그래서 책을 읽게 되었다.

힌트 '보였다'와 '그래서'를 '보여서'라고 합치면 두 문장을 하나로 만들 수 있어요.

↓

책	V	표	지	가	V	재	미	있	어	V
		V	책	을	V	읽	게	V	되	었
다	.									

● 다음은 책 『소가 된 게으름뱅이』를 읽고 쓴 독서 감상문입니다. 보기 의 내용 중 자신의 생각이나 느낌이 잘 드러난 문장을 한 가지 골라 독서 감상문을 완성해 보세요.

『소가 된 게으름뱅이』를 읽고

오늘 『소가 된 게으름뱅이』를 읽었다. 똑같은 제목의 연극을 재미있게 보아서 책도 읽게 되었다.

이 책은 소처럼 한가롭게 지내려던 게으름뱅이가 진짜 소가 되어 힘들게 일한 뒤에 부지런한 사람이 되었다는 이야기이다.

	나	도		게	으	름	을		피	우	지
말	고										

보기

열심히 공부해야겠다.

성실하게 살아야겠다.

부지런한 사람이 되어야겠다.

 힌트 세 가지 내용 중 마음에 드는 것을 골라 보세요. 어떤 내용을 넣어도 모두 답이 될 수 있어요!

독서 감상문 쓰기

5 **일**

독서 감상문을 쓰는 (차례)에 따라 (독서 감상문)을 써라!

독서 감상문을 쓸 때에는 먼저 독서 감상문을 쓸 책을 고르고 책 내용을 떠올려요.

그런 다음 독서 감상문을 쓸 책의 내용 중 인상 깊은 장면이나 내용을 정해요.

마지막으로 인상 깊은 까닭을 생각하고 책에 대한 생각이나 느낌을 정리하면

독서 감상문 한 편을 완성할 수 있답니다.

● 독서 감상문을 쓰는 방법에 맞게 빈칸에 알맞은 말을 쓰고, 그 말을 퍼즐판에서 찾아 ◯표를 하세요.

독서 감상문에 쓸 책을 고르고 책 ❶ ☐ ☐ 을 떠올려요.

책의 내용 중 ❷ ☐ ☐ 깊은 장면이나 내용을 정하고 인상 깊은 까닭을 생각해 보아요.

책에 대한 ❸ ☐ ☐ 이나 느낌을 정리해요.

독서 감상문 쓰기

● 친구가 누리집에 올린 다음 글을 읽고, 독서 감상문에 들어갈 내용을 쓰세요.

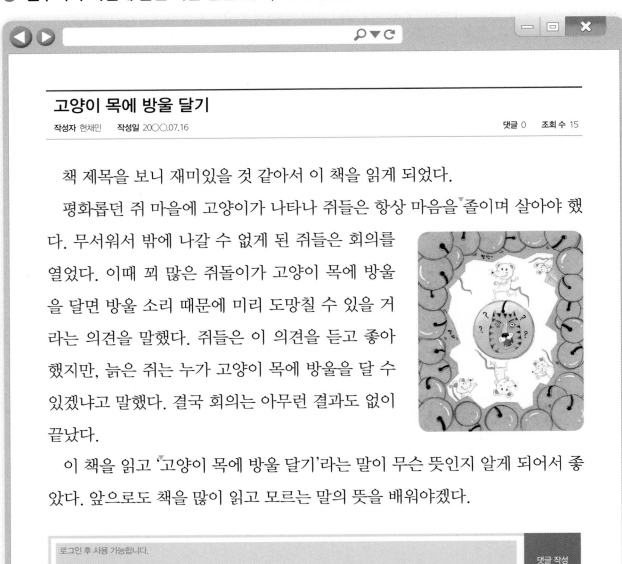

고양이 목에 방울 달기

작성자 현채민 작성일 20○○.07.16   댓글 0 조회 수 15

책 제목을 보니 재미있을 것 같아서 이 책을 읽게 되었다.

평화롭던 쥐 마을에 고양이가 나타나 쥐들은 항상 마음을 졸이며 살아야 했다. 무서워서 밖에 나갈 수 없게 된 쥐들은 회의를 열었다. 이때 꾀 많은 쥐돌이가 고양이 목에 방울을 달면 방울 소리 때문에 미리 도망칠 수 있을 거라는 의견을 말했다. 쥐들은 이 의견을 듣고 좋아했지만, 늙은 쥐는 누가 고양이 목에 방울을 달 수 있겠냐고 말했다. 결국 회의는 아무런 결과도 없이 끝났다.

이 책을 읽고 '고양이 목에 방울 달기'라는 말이 무슨 뜻인지 알게 되어서 좋았다. 앞으로도 책을 많이 읽고 모르는 말의 뜻을 배워야겠다.

로그인 후 사용 가능합니다.   댓글 작성

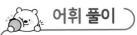 **어휘 풀이**

▼**졸이며** 속을 태우다시피 조마조마해하며.
   例 시험 점수가 좋지 않을까 봐 가슴을 졸이며 점수를 확인했다.
▼**고양이 목에 방울 달기** 실제로 하기 어려운 것을 핵심이 되는 내용이 없게 의논함을 이르는 말.

▶정답 및 해설 27쪽

낱말 쓰기

1 단계 다음 그림을 보고, 『고양이 목에 방울 달기』를 읽게 된 까닭을 쓰세요.

내가 재미있게 읽은 이 책을 추천할게.

• 책을 읽게 된 까닭: 친구가 재미있게 읽었다고 ⬜⬜ 해 주어서 읽게 되었다.

문장 쓰기

2 단계 『고양이 목에 방울 달기』의 내용을 두 문장으로 정리하여 쓰세요.

고양이 목에 방울을 달자!

정말 좋은 생각이다!

하지만 고양이 목에 방울을 달 쥐가 없는 것이 문제란다.

❶ 쥐들의 회의에서 무서운 고양이를 피할 수 있는 방법으로 고양이 목에 ⬜

⬜⬜⬜⬜ 는 의견이 나왔다.

❷ 하지만 고양이 목에 방울을 달 ⬜⬜⬜⬜ 것이 문제였다.

한 편 쓰기

3 단계 『고양이 목에 방울 달기』를 읽고, 독서 감상문의 '생각이나 느낌' 부분에 쓰고 싶은 내용을 보기 에서 한 가지 골라 쓰세요.

> 보기
>
> 실천할 수 있는 계획을 세워야겠다고 생각했다.
>
> 말은 쉽지만 행동하기가 어렵다는 것을 깨달았다.

▶ 정답 및 해설 27쪽

1 낱말 고쳐쓰기

다음 〈친구가 쓴 글〉에서 밑줄 그은 부분을 고쳐 쓰려고 합니다. 〈보기〉에서 알맞은 낱말을 골라 고쳐 쓰세요.

〈친구가 쓴 글〉

앞으로도 책을 많이 읽고 모르는 말의 뜻을 <u>배웠다</u>.

↓

앞으로도 책을 많이 읽고 모르는 말의 뜻을 [   ].

〈보기〉

배우다

배운다

배워야겠다

2 문장 고쳐쓰기

다음 글을 읽고, 잘못 쓰인 문장 부호를 바르게 고치고 따라 쓰세요.

꾀 많은 쥐돌이가 의견을 말했다.
'고양이 목에 방울을 달면 방울 소리 때문에 미리 도망칠 수 있을 거예요.'

↓

꾀 많은 쥐돌이가 의견을 말했다.

	고	양	이	V	목	에	V	방	울	을
달	면	V	방	울	V	소	리	V	때	문
에	V	미	리	V	도	망	칠	V	수	V
있	을	V	거	예	요	.				

힌트

대화하는 부분에는 큰따옴표([“] [”] / [“] [”.])를 쓰고,

생각이나 속마음을 나타낼 때에는 작은따옴표([‘] [’] / [‘] [’.])를 써요.

● 재미있게 읽은 책을 골라 독서 감상문을 쓰세요.

읽은 날	
책 제목	글쓴이
책을 읽게 된 까닭	
책 내용	
생각이나 느낌	

힌트
'책을 읽게 된 까닭' 부분에는 어떤 책을 왜 읽게 되었는지 써요.
그리고 '책 내용' 부분에는 줄거리를 요약해서 쓰고,
'생각이나 느낌' 부분에는 책을 읽으며 어떤 생각이나 느낌이 들었는지 솔직하게 써요.

생활 어휘　다음 만화를 보며 속담의 뜻을 알아보고, 상황에 맞게 속담을 써 보세요.

콩 심은 데 콩 나고 팥 심은 데 팥 난다

속담의 뜻을 알아봐요!

콩 심은 데 콩 나고 팥 심은 데 팥 난다

이 속담은 콩을 심었는데 팥이 나거나, 팥을 심었는데 콩이 나지는 않는 것처럼

"<u>모든 일은 원인에 맞는 결과가 나타난다.</u>"라는 뜻이랍니다.

이제 이 속담을 넣어 상황에 맞게 써 볼까요?

"　　　　　　　

　　　　　　　

　　"라는 말이 있어. 내일이 시험인

데 그렇게 놀기만 하면 점수가 좋지 않을 거야.

● 어떤 낱말의 뜻인지 알맞은 답을 골라 따라 쓰며 길을 찾아가세요.

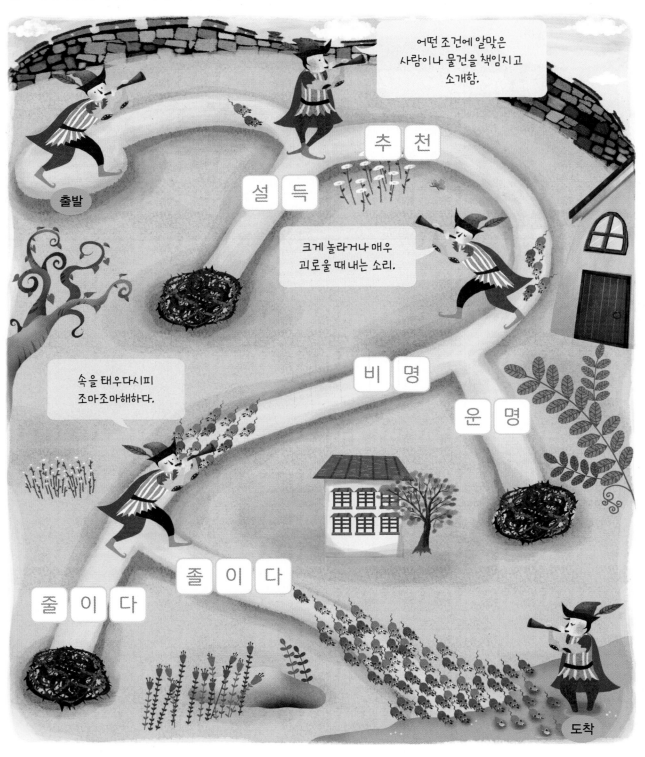

 창의   「피리 부는 사나이」의 내용을 떠올리며 4주에 나왔던 **낱말과 그 뜻**을 익혀 봅니다.

● 게임의 코딩 명령을 따라가서 만난 친구가 달래에게 추천한 책이 무엇인지 쓰세요.

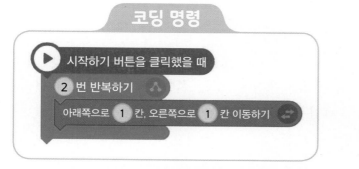

코딩 명령

▶ 시작하기 버튼을 클릭했을 때
2 번 반복하기
아래쪽으로 1 칸, 오른쪽으로 1 칸 이동하기

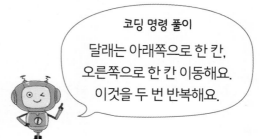

코딩 명령 풀이

달래는 아래쪽으로 한 칸, 오른쪽으로 한 칸 이동해요. 이것을 두 번 반복해요.

『장군이네 떡집』 재미있다!

『고양이 목에 방울 달기』 그림이 갖고 싶어.

『대단한 줄다리기』를 추천할게.

출발

 친구가 『 ☐ ☐ ☐ ☐ ☐ ☐ 』를 추천해 주어서 읽게 되었어요.

코딩　코딩 명령에 따라 이동하여 친구가 추천한 **책을 찾는 미션**을 해결해 봅니다.

● 「소가 된 게으름뱅이」의 뒷이야기를 그린 두 그림에서 다른 부분을 다섯 군데 찾아 ◯표를 하세요.

> **뒷이야기**
>
> 할아버지는 소가 된 게으름뱅이를 농부에게 팔며 이 소는 절대 무를 먹으면 안 된다고 말했어요. 소가 된 게으름뱅이는 매일 일만 하는 것이 힘들어서 무를 먹기로 결심했어요. 그런데 무를 먹자 게으름뱅이는 사람으로 돌아왔어요.

 창의 「소가 된 게으름뱅이」의 **뒷이야기**를 떠올리며 두 그림에서 다른 부분을 모두 찾아봅니다.

● 다음 만화를 보고, 남자아이가 찾아야 할 농기구는 무엇인지 ○표를 하세요.

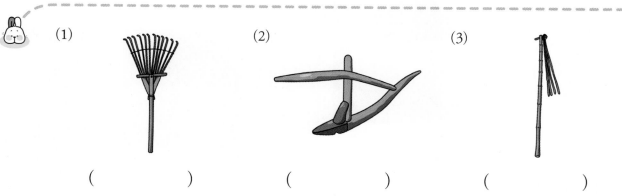

(1) (　　　)

(2) (　　　)

(3) (　　　)

융합 국어+사회 「소가 된 게으름뱅이」를 읽고 인상 깊었던 장면을 떠올리며 **옛날에 소에 매어 사용했던 농기구인 '쟁기'**에 대해 알아봅니다.

1 다음은 어떤 글에 들어갈 내용으로 알맞은지 골라 ○표를 하세요.

책을 읽게 된 까닭	책 내용	생각이나 느낌

(독서 감상문 , 설명하는 글)

[2~4] 다음 글을 읽고, 물음에 답하세요.

내가 동물들이 주인공으로 나오는 이야기책을 좋아한다고 하자 사서 ㉠선생님이 읽어 보라고 추천해 ㉡주었다.

몸집이 작은 산토끼 무툴라는 몸집이 커다란 코끼리 투루와 하마 쿠부에게 무시를 당하자 ㉢꽤를 내어 줄다리기를 하자고 말했다. ㉣무툴라는 밧줄의 양 끝을 각각 투루와 쿠부에게 준 다음, 마치 자신과 줄다리기를 하는 것처럼 줄다리기를 시켜 투루와 쿠부를 골려 주었다.

투루와 쿠부가 상대가 누구인지도 모르고 힘들게 줄다리기를 하는 장면이 너무 우스웠다.

2 ㉠~㉢을 고쳐 쓴 것 중 알맞지 않은 것을 골라 ×표를 하세요.

(1) ㉠ 선생님이 → 선생님께서 ( )

(2) ㉡ 주었다 → 드셨다 ( )

(3) ㉢ 꽤 → 꾀 ( )

3 ㉣의 내용으로 알맞은 것은 무엇인가요?

( )

① 글쓴이 ② 책 제목
③ 책 내용 ④ 생각이나 느낌
⑤ 책을 읽게 된 까닭

글쓰기

4 다음은 이 독서 감상문의 '생각이나 느낌' 부분에 덧붙일 문장입니다. 빈칸에 알맞은 낱말을 보기 에서 골라 문장을 완성하고 따라 쓰세요.

나	도	V	무	툴	라	처
럼	V			를	V	갖	고	V
싶	다	.				

5 다음은 일어난 일을 원인과 결과에 따라 정리한 것입니다. 알맞은 이어 주는 말을 골라 ○표를 하세요.

사나이가 피리를 불어 쥐들을 강에 빠뜨렸다. (그래서 , 그러나) 쥐들이 모두 없어졌다.

[6~8] 다음 글을 읽고, 물음에 답하세요.

(가) "저 소는 참 좋겠다. 아무것도 안 하고 놀기만 하니 얼마나 편해? 아, 부러워!"
게으름뱅이는 　⊙　로 중얼거리며 어기적어기적 길을 걸었어요.

(나) "일하기 싫은 사람 어디 없나? 이 쇠머리 탈을 쓰면 소처럼 한가롭게 풀이나 뜯고 낮잠이나 자며 살 수 있는데……."
게으름뱅이는 재빠르게 쇠머리 탈을 머리에 썼어요.

(다) 게으름뱅이는 소가 되고 말았어요!

6 　⊙　 안에 들어갈 낱말로 알맞은 것을 고르세요. (　　　)

① 혼자말　　　② 혼잔말
③ 혼잖말　　　④ 혼잣말
⑤ 혼잤말

7 다음 중 가장 먼저 일어난 일을 골라 ○표를 하세요.

(1) 게으름뱅이는 소가 되었다. (　　　)
(2) 게으름뱅이는 소를 부러워하였다.
(　　　)
(3) 게으름뱅이가 쇠머리 탈을 머리에 썼다.
(　　　)

글쓰기

8 다음은 일이 일어난 차례에 따라 줄거리를 요약해서 쓴 것입니다. 빈칸에 알맞은 낱말을 써서 문장을 완성하고 따라 쓰세요.

소를 부러워하던 게으름뱅이는 머리에 쇠머리 탈을 썼다.

그	러	자	V	게	으	름	뱅
이	는	V		가	V	되	었
다	.						

9 다음 중 독서 감상문의 '생각이나 느낌' 부분에 들어갈 내용으로 알맞지 <u>않은</u> 것을 골라 ✕ 표를 하세요.

(1) 나도 게으름을 피우지 말고 성실하게 살아야겠다. (　　　)
(2) 부지런해지려는 게으름뱅이의 마음에 공감할 수 있었다. (　　　)
(3) 똑같은 제목의 연극을 재미있게 보아서 이 책도 읽게 되었다. (　　　)

10 독서 감상문을 쓸 때 가장 먼저 할 일을 말한 사람은 누구인지 이름을 쓰세요.

채민: 책 내용을 떠올려야 해.
현솔: 독서 감상문을 쓸 책을 골라야 해.

(　　　)

똑똑한 하루 글쓰기 한권 끝!

글쓰기 공부 하느라 수고했어요.
교재를 꾸준히 잘 풀었는지 돌아보고 ◯표를 하세요.

약속한 사람 _____

첫째, 하루하루 빠짐없이 꾸준히 공부했나요?　　　　　　　예　　아니요

둘째, 하루 글쓰기 문제를 끝까지 다 풀었나요?　　　　　　예　　아니요

셋째, 또박또박 바르게 글씨를 썼나요?　　　　　　　　　예　　아니요

아쉽고 부족한 부분을 스스로 돌아보고,
다음 단계를 공부할 때에는 더 열심히 해 봐요!

그럼, 다음 책으로 고고!

기초 학습능력 강화 프로그램

매일 조금씩 **공부력** UP

똑똑한 하루
독해&어휘

쉽다!

10분이면 하루치 공부를 마칠 수 있는
커리큘럼으로, 아이들이 쉽고 재미있게
독해&어휘에 접근할 수 있도록 구성

재미있다!

교과서는 물론 생활 속에서 쉽게
접할 수 있는 다양한 소재를 활용해
흥미로운 학습 유도

똑똑하다!

초등학생에게 꼭 필요한 상식과 함께
창의적 사고력 확장을 돕는
게임 형식의 구성으로 독해력&어휘력 학습

공부의 핵심은 독해!
예비초~초6 / 총 6단계, 12권

독해의 시작은 어휘!
예비초~초6 / 총 6단계, 6권

쉽다!

10분이면 하루치 공부를 마칠 수 있는 커리큘럼으로,
아이들이 초등 학습에 쉽고 재미있게 접근할 수 있도록 구성하였습니다.

재미있다!

교과서는 물론 생활 속에서 쉽게 접할 수 있는 다양한 소재와
재미있는 게임 형식의 문제로 흥미로운 학습이 가능합니다.

똑똑하다!

초등학생에게 꼭 필요한 학습 지식 습득은 물론
창의력 확장까지 가능한 교재로 올바른 공부 습관을 가지는 데 도움을 줍니다.

똑똑한
하루
글쓰기

3단계 A
2~3학년

정답 및
해설

천재교육

정답 및 해설
포인트 3가지

▶ 혼자서도 이해할 수 있는 친절한 문제 풀이

▶ 문제 해결에 도움을 주는 '더 알아보기'와
   틀린 부분을 짚어 주는 '왜 틀렸을까?'

▶ 예시 답안과 단계별 채점 기준 제시로
   실전 서술형 문항 완벽 대비

똑똑한

하루
글쓰기

3 단계
A
2~3학년

정답 및 해설

10~11쪽　　　이번 주에는 무엇을 공부할까? ❷

1-1 (2) ○　　　**1-2** 언제
2-1 (4) ×　　　**2-2** 꾸 며 주 는 말

1-1 생활문은 자신이 직접 겪은 일을 언제, 어디에서, 누구와 한 일인지 떠올려 쓰는 글입니다.

1-2 '새해 첫날'은 '언제'를 나타내는 말입니다.

2-1 생활문을 실감 나게 쓰기 위해서는 글쓴이가 직접 한 말이나 들은 말은 큰따옴표, 글쓴이의 생각은 작은따옴표를 사용해 표현합니다. 또, 꾸며 주는 말을 사용하면 좋습니다.

2-2 솔솔, 알록달록, 콩닥콩닥, 빙글빙글 등의 꾸며 주는 말을 사용해 실감 나게 표현했습니다.

1일

13쪽　　　똑똑한 하루 글쓰기 미리 보기

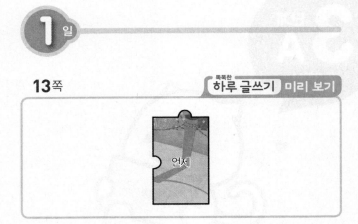

언제

14~15쪽　　　똑똑한 하루 글쓰기

1 (1) 지난 주말, 공 원 에 갔다.
　　(2) 친 구 에게 자전거 타는 법을 배웠다.
2 지난 주 말 , 공 원 에 가서 친 구 에게 자 전 거 타 는 법 을 배웠다.
3 지난 주말, 공원에 가서 친구에게 자전거 타는 법을 배운 일을 생활문으로 써 봐야지.

1 (1) 기찬이는 지난 주말, 공원에 갔습니다.
　　(2) 기찬이는 친구에게 자전거 타는 법을 배웠습니다.

2 기찬이가 떠올린 일에 알맞게 한 문장으로 써 봅니다.

3 **2**에서 쓴 문장을 넣어 생활문에 글감으로 쓰기 위해

떠올린 일을 써 봅니다.

채점 기준

　기찬이가 겪은 일을 언제, 어디에서, 누구와 무엇을 했는지 잘 드러나게 썼으면 정답입니다.

16쪽　　　똑똑한 하루 글쓰기 고쳐쓰기

1 (1) 금 세　　　(2) 어 느 새

2 예

| 친 | 구 | 와 | ∨ | 함 | 께 | ∨ | 비 | 행 | 기 | 를 | ∨ |
| 타 | 다 | . |

예

| 친 | 구 | 와 | ∨ | 함 | 께 | ∨ | 자 | 동 | 차 | 를 | ∨ |
| 타 | 다 | . |

1 (1) '시간이 얼마 지나지 않아서.'를 뜻하는 알맞은 낱말은 '금세'입니다.

더 알아보기
'금세'는 '금시에'가 줄어든 말입니다.

　(2) '어느 틈에 벌써.'를 뜻하는 알맞은 낱말은 '어느 새'입니다.

2 '탈것이나 짐승의 등 따위에 몸을 얹다.'라는 뜻의 '타다'와 어울리는 낱말을 생각해 봅니다. '비행기'와 '자동차' 모두 답이 될 수 있습니다.

17쪽　　　똑똑한 하루 글쓰기 마무리

예 나는 오늘 아침에 동네에서 강아지와 산책을 한 일을/를 글로 쓰고 싶어. / 예 나는 작년 겨울에 제주도에서 가족과 겨울 바다를 본 일을/를 글로 쓰고 싶어.

○ 언제, 어디에서, 누구와 한 일인지 드러나게 자신이 겪은 일을 써서 문장을 완성합니다.

채점 기준

구분	답안 내용	
평가 기준	언제, 어디에서, 누구와 겪은 일인지 잘 드러나게 자신이 겪은 일을 썼습니다.	상
	언제, 어디에서, 누구와 겪은 일인지 중 한두 가지 요소가 잘 드러나지 않습니다.	중
	자신이 겪은 일만 간단하게 썼습니다.	하

2일

19쪽 · 똑똑한 하루 글쓰기 미리 보기

❶ 구체적
❷ 자세히
❸ 자신

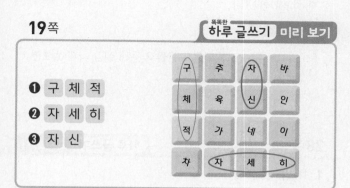

20~21쪽 · 똑똑한 하루 글쓰기

1 (1) 친구들을 생일잔치에 초대했다.
  (2) 친구들이 생일 축하 노래를 불러 주었다.
  (3) 친구들이 생일 선물을 주었다.
2 ❶ 친구들을 생일잔치에 초대했다.
  ❷ 친구들이 생일 축하 노래를 불러 주고, 생일 선물을 주었다.

3

지	난	∨	주	말	에	∨	친	구	들	을	∨
생	일	잔	치	에	∨	초	대	했	다	.	친
구	들	이	∨	생	일	∨	축	하	∨	노	래
를	∨	불	러	∨	주	고	,	생	일	∨	선
물	을	∨	주	었	다	.					

1 (1) 달래는 친구들을 생일잔치에 초대했습니다.
  (2) 친구들이 생일 축하 노래를 불러 주었습니다.
  (3) 친구들이 생일 선물을 주었습니다.

2 1에서 답한 일을 두 문장으로 다시 정리해 봅니다.

3 2에서 쓴 문장을 이용해 달래가 겪은 일이 잘 나타나도록 내용을 정리해 봅니다.

> **채점 기준**
> 겪은 일이 잘 드러나게 내용을 정리했으면 정답입니다.

22쪽 · 똑똑한 하루 글쓰기 고쳐쓰기

1 생일

2

지	난	∨	여	름	∨	방	학	에	∨	이
모	∨	댁	에	∨	갔	다	.			

1 부모님이 아이의 생일을 축하해 주는 상황에 어울리는 낱말은 '생일'입니다.

> (왜 틀렸을까?)
> 아이가 부모님께 말씀드릴 때에 '생신'이라는 말을 쓸 수 있습니다.

2 '지난 여름 방학'이라는 과거를 나타내는 말과 어울리는 표현은 '갔다'입니다.

23쪽 · 똑똑한 하루 글쓰기 마무리

예

눈	이		펑	펑		오	던		작	년
겨	울		방	학	의		어	느		날	이
었	다	.	집		앞	에	서		혼	자
눈	사	람	을		만	들	었	다	.	

예

눈	이		펑	펑		오	던		작	년
겨	울		방	학	의		어	느		날	이
었	다	.	집		앞	에		서		있	는
눈	사	람	에	게		목	도	리	를		둘
러		주	었	다	.					

예

눈	이		펑	펑		오	던		작	년
겨	울		방	학	의		어	느		날	이
었	다	.	나	무		옆	에		서		있
는		눈	사	람	에	게		양	철		모
자	를		씌	워		주	었	다	.	

○ 보기 의 세 가지 문장 중 한 가지를 골라 써 봅니다.

> **채점 기준**

구분	답안 내용	
평가 기준	보기 중 한 가지를 골라 맞춤법과 띄어쓰기에 맞게 잘 썼습니다.	상
	보기 중 한 가지를 골라 썼지만 맞춤법이나 띄어쓰기가 틀린 부분이 있습니다.	중
	그림과 관련 없는 일을 썼습니다.	하

3일

25쪽   똑똑한 **하루 글쓰기** 미리 보기

 – 꾸 며 주 는 말,

 – 작 은 따 옴 표,

 – 큰 따 옴 표

26~27쪽 똑똑한 **하루 글쓰기**

1 (1) 수영장에 헐 레 벌 떡 도착했다.

(2) 준 비 운 동 을 하고 물에 들어가야 한다고 말하고 아들과 함께 준비 운동을 했다.

2 ① 수 영 장 에 헐 레 벌 떡 도착했다.

② "준 비 운 동 을 하 고 물에 들어가야 한다."
라고 말하고 아들과 함께 준비 운동을 했다.

3 예 수영장에 헐레벌떡 도착했다.
"준비 운동을 하고 물에 들어가야 한다."
라고 말하고 아들과 함께 준비 운동을 했다.

1 (1) 수영장에 급히 도착한 상황과 어울리는 꾸며 주는 말은 '헐레벌떡'입니다.

〔 더 알아보기 〕
헐레벌떡: 숨을 가쁘고 거칠게 몰아쉬는 모양.
예 나는 학교로 헐레벌떡 달렸다.

(2) 아버지께서는 준비 운동을 하고 물에 들어가야 한다고 말씀하셨습니다.

2 1에서 일어난 일을 꾸며 주는 말과 큰따옴표를 사용하여 두 문장으로 다시 써 봅니다.

〔 더 알아보기 〕
아버지께서 직접 하신 말을 큰따옴표(" ")를 사용해 표현합니다.

3 2에서 쓴 문장을 이용해 겪은 일을 실감 나게 정리해서 써 봅니다.

채점 기준
꾸며 주는 말과 따옴표 등을 사용해 실감 나게 썼으면 정답입니다.

28쪽 똑똑한 **하루 글쓰기** 고쳐쓰기

1 (1) 밖 (2) 박
2 ∨ 떡 볶 이 를 ∨ 보 자 마 자 ∨ 포 크 로 ∨ 찍 어 ∨ 먹 었 다 .

1 (1) 물의 바깥쪽을 말하는 '밖'이 알맞은 낱말입니다.
(2) 지붕 위에 열린 열매를 뜻하는 '박'이 알맞은 낱말입니다.

2 '보았다'와 '곧바로'를 합쳐 '보자마자'라고 줄여 쓸 수 있습니다.

29쪽 똑똑한 **하루 글쓰기** 마무리

예

	음	악		시	간	에		친	한		친
구	들	과		함	께		다	양	한		악
기	를		뚱	땅	뚱	땅		즐	겁	게	
연	주	했	다	.							

○ 사물의 이름, 동작이나 상태를 꾸며 주는 말을 두 가지 이상 넣어 문장을 실감 나게 고쳐 써 봅니다.

채점 기준

구분	답안 내용	
평가 기준	사물의 이름, 동작이나 상태를 꾸며 주는 말을 두 가지 이상 넣어 문장을 잘 고쳐 썼습니다.	상
	사물의 이름, 동작이나 상태를 꾸며 주는 말을 두 가지 이상 넣어 문장을 고쳐 썼지만 맞춤법이나 띄어쓰기가 틀린 부분이 있습니다.	중
	사물의 이름, 동작이나 상태를 꾸며 주는 말을 한 가지만 사용하여 고쳐 썼습니다.	하

4일

마음

1 벚 꽃 꽃 잎 이 흩날리는 모습이 신기했다.

2 벚꽃 꽃잎이 흩날리는 모습이 마치 비 가 오 는 것 같 았 기 때문이다.

3

벚	꽃	∨	꽃	잎	이	∨	흩	날	리	는	∨
모	습	이	∨	신	기	했	다	.		벚	꽃	∨
꽃	잎	이	∨	흩	날	리	는	∨	모	습	이	∨
마	치	∨	비	가	∨	오	는	∨	것	∨	같
았	기	∨	때	문	이	다	.				

1 벚꽃 꽃잎이 흩날리는 모습이 신기했다고 하였습니다.

2 벚꽃 꽃잎이 흩날리는 장면이 왜 신기했는지 마음에 어울리는 까닭을 보기 에서 골라 써 봅니다.

3 **1**과 **2**에서 쓴 문장을 넣어 생활문의 생각이나 느낌 부분에 들어갈 내용을 완성해 봅니다.

> **채점 기준**
>
> 어떤 마음이 들었는지와 왜 그런 마음이 들었는지가 모두 잘 드러나게 썼으면 정답입니다.

1 벚꽃 꽃잎이 흩날리는 모습이 마 치 비가 오는 것 같았다.

2

사	람	들	이	∨	이	렇	게	∨	많	은	∨
모	습	은	∨	처	음	∨	보	았	어	.	

1 벚꽃 꽃잎이 흩날리는 모습이 비가 오는 모습과 거의 비슷했다는 의미가 될 수 있도록 낱말 '마치'를

써야 합니다. '마치'는 흔히 '-처럼', '-듯', '-듯이', '-같다' 등과 함께 쓰이는 표현입니다.

> **(더 알아보기)**
>
> **낱말 '차마'의 뜻 알아보기**
>
> **차마:** 부끄럽거나 안타까워서 감히.
>
> 예 차마 그의 편지를 뜯어볼 수 없었다.

2 소리와 글자가 다른 낱말은 소리 나는 대로 쓰지 않고 바르게 써야 합니다. '이러케'는 '이렇게', '마는' 은 '많은'으로 써야 알맞은 표현입니다.

> **(더 알아보기)**
>
> **소리와 글자가 다른 낱말 더 알아보기** 예
>
> • 좋다[조타]
> • 국화[구콰]
> • 낳아[나아]
> • 놓아[노아]

예

아	직	은		모	든		것	이		어
색	해		옛		학	교	와		친	구	들
이		그	립	다	.					

예

친	절	한		짝		덕	분	에		새
로	운		학	교	에	서	의		생	활	이
너	무		기	대	된	다	.			

○ 전학을 간 상황을 떠올리며 생각이나 느낌 중 한 가지를 골라 써 봅니다.

> **채점 기준**
>
> | 구분 | 답안 내용 | |
> |---|---|---|
> | 평가 기준 | 보기 중 한 가지를 골라 맞춤법과 띄어쓰기에 맞게 잘 썼습니다. | 상 |
> | | 보기 중 한 가지를 골라 썼지만 맞춤법이나 띄어쓰기가 틀린 부분이 있습니다. | 중 |
> | | 제시된 글의 내용과 관련 없는 생각이나 느낌을 썼습니다. | 하 |

5일

37쪽
하루 글쓰기 미리 보기

 - 어 디,   - 인 상,

- 솔 직

38~39쪽
하루 글쓰기

1 (1) 지난주 토요일에 가 족 과 함께 샌드위치를 만들었
다.

(2) 직접 만든 샌 드 위 치 를 나누어 먹었다.

2 ❶ 지 난 주 토 요 일 에 가 족 과 함께 샌 드
위 치 를 만들었다.

❷ 직 접 만 든 샌 드 위 치 를 나누어 먹었다.

3 예 샌드위치가 너무 커서 먹기 힘들었다. / 예 누나가 만
든 샌드위치가 더 예뻐서 부러웠다. / 예 다음에는 참치가
들어간 샌드위치를 만들고 싶다.

1 솔지의 글에서 지난주 토요일에 가족과 함께 샌드위
치를 만들고, 직접 만든 샌드위치를 나누어 먹었다
고 했습니다.

2 지난주 토요일에 겪은 일에 알맞게 문장으로 다시
써 봅니다.

3 생활문의 내용에 알맞게 생각이나 느낌 부분을 써
봅니다.

채점 기준

보기 의 문장 중 한 가지를 골라 알맞게 썼으면 정답입
니다.

40쪽
하루 글쓰기 고쳐쓰기

1 배

2
비	록	∨	종	이	로	∨	만	든	∨	새
지	만	∨	진	짜	∨	같	았	다	.	

1 (1)~(3) 모두 '배'로 고쳐 쓸 수 있는 낱말입니다.

(더 알아보기)

'배'의 여러 가지 뜻 예

• 사람이나 동물의 몸에서, 가슴 아래에서 다리 위까지의
부분.

• 사람이나 물건을 싣고 물 위를 다니는 교통수단.

• 껍질은 누렇고 속은 희며 즙이 많고 단맛이 나는, 가을
에 나는 둥근 과일.

→ 이처럼 형태는 같지만 뜻이 서로 다른 낱말을 '동형어'
라고 합니다.

2 '비록'에 어울리게 '–지만'을 넣어 '새지만'이라고 써
야 합니다.

(더 알아보기)

'비록'은 '아무리 그러하더라도.'라는 뜻입니다.

41쪽
하루 글쓰기 마무리

예

글쓰기 공부를 해요

오늘 학교를 마치고 서둘러 집에 돌아와서 방에서 혼자
글쓰기 공부를 했다. 어머니께서 새로 사 주신 『똑똑한 하루
글쓰기』책을 펴서 한 자 한 자 쓰다 보니 혼자서도 한 편의
글을 금세 완성할 수 있었다.

'글쓰기 공부는 항상 어렵고 지루하다고만 생각했는데 이
렇게 쉽고 재미있게 술술 쓸 수도 있다니 신기하다.'
라는 생각이 들었다.

빨리 내일이 되어 또 글쓰기 공부를 하고 싶다. 매일매일
쑥쑥 늘어갈 내 글쓰기 실력이 정말 기대된다.

◎ 자신이 겪은 일 중 한 가지를 골라 생활문을 써 봅니
다. 자신이 생활 속에서 겪은 모든 일이 글감이 될
수 있습니다.

채점 기준

구분	답안 내용	
평가 기준	자신이 겪은 일을 언제, 어디에서, 누구와 한 일인지 구체적으로 실감 나게 쓰고, 자신의 생각이나 느낌도 잘 썼습니다.	상
	생활문에 들어갈 내용 중 일부가 빠져 있거나 맞춤법이 틀린 부분이 있습니다.	중
	자신이 겪은 일만 간단하게 썼습니다.	하

특강 <small>똑똑한 하루 창의·융합·코딩</small>

43쪽

"한 귀 로 듣 고 한 귀 로 흘 린 다"라는 말처럼 수업 시간에 선생님 말씀을 귀담아듣지 않았더니 시험 문제를 모두 틀렸어.

44쪽

○ '시간이 얼마 지나지 않아서.'라는 뜻의 낱말은 '금세', '남의 집이나 가정을 높여 이르는 말.'이라는 뜻의 낱말은 '댁', '음식이 먹고 싶은 마음이 들 정도로 맛있어 보이는.'이라는 뜻의 낱말은 '먹음직스러운'입니다.

45쪽

🐰 아들은 3분에 120 미터, 아빠는 3분에 135 미터를 갈 수 있어요. 그러므로 3분 뒤 더 멀리까지 갈 수 있는 사람은 (아들 ,(아빠))이에요.

○ 두 사람이 3분에 몇 미터를 갈 수 있는지 각각 계산해 보고, 어떤 사람이 더 멀리까지 갈 수 있는지 알맞은 사람에 ○표를 해 봅니다.

46쪽

(1) 진 달 래   (2) 개 나 리   (3) 목 련 화

○ 봄에 피는 꽃에는 진달래, 개나리, 목련화 등이 있습니다.

［ 더 알아보기 ］

다른 계절에 피는 꽃 더 알아보기 예

・여름

▲ 나팔꽃   ▲ 해바라기

・가을

▲ 국화   ▲ 코스모스

47쪽

(1) ○

○ 빵 가게에 가기 위해서는 '출발'부터 오른쪽 방향으로 세 칸, 아래쪽 방향으로 한 칸을 이동해야 합니다. 코딩 명령대로 길을 이동하면 다음과 같습니다.

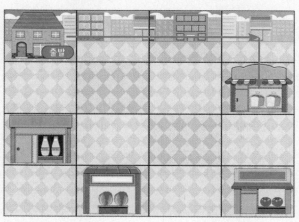

평가 　　　　　　　　　　　　　　**누구나 100점** 테스트

48~49쪽

1 기찬　　　　　　　　　**2** (2) ○

3

친	구	들	이	∨	생	일	∨
축	하	∨	노	래	를	∨	불
러	∨	주	었	다	.		

4 ⓒ　　　　　　　　　　　**5** 풍 덩

6

	'		'

7 글봇

8 (2) ○　　　　　　　　　　**9** ㉠

10 비록 조금 삐뚤삐뚤하게 쌓아 올린 샌드위치지만 직접 만들어서 그런지 정말 맛 있 었 다 .

1 생활문은 자신이 겪은 일 중에 한 가지를 떠올려 쓰는 글로, 언제, 어디에서, 누구와 겪은 일인지를 떠올려 씁니다.

　(**왜 틀렸을까?**)
　책을 읽고 난 뒤에 자신의 생각이나 느낌을 쓴 글은 독서 감상문입니다.

2 언제, 어디에서, 누구와 겪은 일인지 잘 드러난 것은 (2)입니다.

3 생일잔치에서 생일 축하 노래를 불러 주는 상황에 어울리는 말은 '생일 축하 노래'입니다. '생일 축하 노래'를 넣어 문장을 완성해 써 봅니다.

　(**더 알아보기**)
　생활문에 자신이 겪은 일을 쓸 때에는 구체적으로 쓰면 좋습니다.

4 '반짝'은 '작은 빛이 잠깐 나타났다가 사라지는 모양.'이라는 뜻으로, '뛰어들'을 꾸며 주는 말로 알맞지 않습니다.

　(**더 알아보기**)
　• **헐레벌떡**: 숨을 가쁘고 거칠게 몰아쉬는 모양.
　• **빨간**: 피나 익은 고추와 같이 밝고 짙게 붉은.
　• **쪽쪽**: 여럿이 잇따라 펴거나 벌리는 모양.

5 '풍덩'은 '크고 무거운 물건이 깊은 물에 떨어지거나

빠질 때 무겁게 한 번 나는 소리.'라는 뜻으로, '뛰어들'을 꾸며 주기에 알맞은 낱말입니다.

　(**왜 틀렸을까?**)
　'핑핑'은 '일정한 약간 넓은 범위를 자꾸 도는 모양.'이라는 뜻입니다.

6 생활문에서 글쓴이의 생각을 실감 나게 나타낼 때에는 작은따옴표를 사용하여 표현합니다.

7 생활문에 자신의 생각이나 느낌을 쓸 때에는 그때에 어떤 마음이 들었는지, 왜 그런 마음이 들었는지 떠올려 자신의 마음을 솔직하게 써야 합니다.

8 생활문을 쓸 때에 글쓴이가 직접 한 말이나 들은 말은 큰따옴표를 사용해 실감 나게 나타낼 수 있습니다.

　(**왜 틀렸을까?**)
　이 글에 어머니의 생각은 나타나 있지 않습니다.

9 ㉮에는 '샌드위치가 정말 맛있었다.'는 글쓴이의 마음이 나타나 있습니다. 직접 만들어서 그런지 정말 맛없었다는 글 ㉯의 문장 ㉠은 ㉮의 내용과 맞지 않습니다.

10 ㉮의 내용에 맞게 '맛없었다'를 '맛있었다'로 고쳐 써야 합니다.

한 주 동안
수고했어요~!

52~53쪽　　이번 주에는 무엇을 공부할까? ❷

1-1 (1) ○
1-2 사과는 | 사 | 과 | 나 | 무 | 의 | 열 | 매 | 이다.
2-1 (1) ○　　　**2-2** | 예 | 를 | 들 | 어 |

1-1 제시된 문장은 벌을 '무엇은 무엇이다'라고 설명하였습니다.

1-2 사과를 '무엇은 무엇이다'라고 표현한 문장은 '사과는 사과나무의 열매이다.'입니다.

2-1 제시된 글은 전 세계 사람들이 다양한 방법으로 인사를 나눈다는 사실을 자세한 예를 들어 설명하였습니다.

2-2 제시된 글은 아기 주머니에서 새끼를 기르는 동물에 대해 자세한 예를 들어 설명하였습니다.

〔왜 틀렸을까?〕
'왜냐하면'은 결과와 원인을 이어 주는 말입니다.
㉠ 캥거루는 새끼를 아기 주머니에서 키운다. <u>왜냐하면</u> 새끼가 덜 자란 채 태어나기 때문이다.

1일

55쪽　　똑똑한 하루 글쓰기 **미리 보기**

대상을 '무엇은 무엇이다'라고 설명함.

56~57쪽　　똑똑한 하루 글쓰기

1 (1) 딱지치기는 종이를 접어 만든 | 딱 | 지로 하는 놀이이다.
　(2) 딱지치기는 바닥에 놓은 상대의 딱지를 쳐서 | 뒤 | 집 | 는 놀이이다.
2 딱지치기는 종이를 접어 만든 | 딱 | 지로 바닥에 놓은 상대의 | 딱 | 지 | 를 | 쳐 | 서 | 뒤 | 집 | 는 놀이이다.

3
딱	지	치	기	는	∨	종	이	를	∨	접
어	∨	만	든	∨	딱	지	로	∨	바	닥	에	∨
놓	은	∨	상	대	의	∨	딱	지	를	∨	쳐
서	∨	뒤	집	는	∨	놀	이	이	다	.	

1~2 딱지치기는 종이를 접어 만든 딱지로 바닥에 놓은 상대의 딱지를 쳐서 뒤집는 놀이입니다.

3 딱지치기를 무엇이라고 설명하였는지 생각하며, **2**의 문장을 넣어 설명하는 글을 씁니다.

〔채점 기준〕
'딱지치기는 무엇이다'라고 설명하는 말을 맞춤법이나 띄어쓰기에 맞게 잘 썼으면 정답으로 합니다.

58쪽　　똑똑한 하루 글쓰기 **고쳐쓰기**

1 | 만 | 일 | 상대의 딱지가 뒤집히지 않으면 치는 순서를 바꿉니다.
2 딱지치기는 두 명만 모여도 놀 수 | 있 | 지 | 만 |, 함께 할 친구들이 많은 편이 더 재미있다.

1 '혹시 있을지도 모르는 뜻밖의 경우에.'라는 뜻의 '만약'과 뜻이 비슷한 낱말은 '만일'입니다.

2 ❶과 ❷의 두 문장을 하나의 문장으로 합칠 때에 '~있다. 하지만 ~'은 '있지만'으로 합쳐 씁니다.

59쪽　　똑똑한 하루 글쓰기 **마무리**

예		제	기	차	기	는		제	기	가		떨
어	지	지		않	도	록		톡	톡		차
며		즐	기	는		놀	이	이	다	.

예		제	기	차	기	는		제	기	만		있
으	면		어	디	서	나		즐	길		수
있	는		민	속	놀	이	이	다	.

◉ 읽는 사람이 제기차기가 무엇인지 쉽게 이해할 수 있도록 '제기차기는 무엇이다'라고 설명합니다.

채점 기준

구분	답안 내용	
평가 기준	제기차기가 무엇인지 설명하는 말을 이해하기 쉽게 잘 썼습니다.	상
	제기차기가 무엇인지 설명하는 말을 썼지만, 띄어쓰기나 맞춤법이 틀린 부분이 있습니다.	중
	제기차기가 무엇인지 설명하는 말을 쓰지 못하였습니다.	하

2일

61쪽 똑똑한 하루 글쓰기 미리 보기

 대상을 설명할 때 자세한 예 를 들어 설명할 수 있어요.

 자세한 예를 들어 설명할 때에는 ' 예 를 들 어 , 예컨대' 같은 말을 사용해요.

 설명하고자 하는 대상과 관 계 있는 예를 들어야 해요.

62~63쪽 똑똑한 하루 글쓰기

1 (1) 벌은 춤 을 추어 다른 벌들에게 꿀이 있는 곳을 알린다.
 (2) 개미는 페 로 몬 을 내뿜어 먹이가 있는 곳을 알린다.

2 ❶ 벌은 춤 을 추 어 다른 벌들에게 꿀이 있는 곳을 알린다.
 ❷ 개미는 페 로 몬 을 내 뿜 어 먹이가 있는 곳을 알린다.

3 곤충은 특별한 방법으로 의사소통을 한다. 예를 들어,
 ❶ 예 벌은 춤을 추어 다른 벌들에게 꿀이 있는 곳을 알린다. 그리고 ❷ 예 개미는 페로몬을 내뿜어 먹이가 있는 곳을 알린다.

1~2 벌은 춤을 추어서, 개미는 페로몬을 내뿜어서 의사소통을 합니다.

3 벌은 춤을 추어 다른 벌들에게 꿀이 있는 곳을 알리고, 개미는 페로몬을 내뿜어 먹이가 있는 곳을 알린다는 사실을 정리해 씁니다.

채점 기준

곤충이 특별한 방법으로 의사소통을 하는 예가 잘 드러나도록 썼으면 정답으로 합니다.

64쪽 똑똑한 하루 글쓰기 고쳐쓰기

1 곤충은 특별한 방법으로 의사소통을 한다. 예 컨 대 , 벌은 춤을 추어서 의사소통을 한다.

2

벌	이	∨	열	심	히	∨	춤	을	∨	추
고	∨	있	어	.						

1 '예를 들면'과 '예컨대'는 같은 뜻으로 쓰이는 말입니다.

2 '열심히'가 바른 표현입니다.

65쪽 똑똑한 하루 글쓰기 마무리

예		사	람	에	게		도	움	이		되	는
	벌	레	가		있	습	니	다	.		예	를
	들	어	,		모	기	나		파	리	를	잡
	아		먹	는		거	미	가		있	고	,	농
	작	물	에		피	해	를		주	는		진
	딧	물	을		잡	아	먹	는		무	당	벌
	레	도		있	습	니	다	.				

○ 거미와 무당벌레처럼 사람에게 도움이 되는 벌레와 관련된 자세한 예를 써야 합니다.

채점 기준

구분	답안 내용	
평가 기준	사람에게 도움이 되는 벌레의 예를 알맞게 썼습니다.	상
	사람에게 도움이 되는 벌레의 예를 썼지만, 표현이 어색한 부분이 있습니다.	중
	사람에게 도움이 되는 벌레의 예를 쓰지 못하였습니다.	하

3일

67쪽 똑똑한 하루 글쓰기 미리 보기

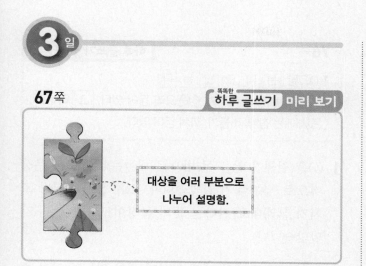

대상을 여러 부분으로
나누어 설명함.

68~69쪽 똑똑한 하루 글쓰기

1 (1) 미국 국기에는 열세 개의 줄 이 있다.

(2) 미국 국기에는 오십 개의 별 이 있다.

2 ❶ 열세 개의 줄 은 미국이 처음 나라를 세울 때 미국의 주가 열세 개였던 것을 기념한다.

❷ 오십 개의 별 은 미국 땅이 점점 커지면서 오십 개로 늘어난 미국의 주를 뜻한다.

3 미국 국기에는 열세 개의 줄과 오십 개의 별이 그려져 있다. ❶ 예 열세 개의 줄은 미국이 처음 나라를 세울 때 미국의 주가 열세 개였던 것을 기념한다. 그리고 ❷ 예 오십 개의 별은 미국 땅이 점점 커지면서 오십 개로 늘어난 미국의 주를 뜻한다.

1 미국 국기는 열세 개의 줄과 오십 개의 별로 이루어져 있습니다.

2 열세 개의 줄과 오십 개의 별을 통해 미국의 주가 어떻게 변해 왔는가를 알 수 있습니다.

3 미국 국기를 열세 개의 줄과 오십 개의 별로 나누어 설명하면 미국 국기에 대해 짜임새 있게 정리하여 전달할 수 있습니다.

채점 기준

미국 국기를 열세 개의 줄과 오십 개의 별로 나누어 자세히 설명하여 썼으면 정답으로 합니다.

70쪽 똑똑한 하루 글쓰기 고쳐쓰기

1 (1) 어떻게 (2) 늘어났다

2

미	국	V	국	기	에	는	V	열	세	V
개	의	V	줄	과	V	오	십	V	개	의	V
별	이	V	그	려	져	V	있	다	.	

1 미국 국기를 어떤 방법으로 설명할지 모르겠다는 뜻에 어울리는 바른 낱말은 '어떻게'입니다. 미국의 땅이 계속 커져서 주가 많아졌다는 뜻에 어울리는 바른 낱말은 '늘어났다'입니다.

2 '개'는 단위를 나타내는 말이므로 앞말과 띄어 씁니다. 따라서 '열세 개', '오십 개'가 바른 표현입니다.

〔 더 알아보기 〕

숫자를 띄어쓰는 방법

• 숫자는 만 단위로 띄어 써야 합니다.

예 이백삼십육만 칠천이백구십오

• '두 개', '세 명'처럼 숫자 뒤에서 단위를 나타내는 말은 앞말과 띄어 씁니다.

예 강아지 열두 마리, 삼만 원

71쪽 똑똑한 하루 글쓰기 마무리

예 민들레는 뿌리, 줄기, 잎, 꽃으로 이루어져 있다.

○ 그림에서 민들레가 뿌리, 줄기, 잎, 꽃으로 이루어져 있다는 것을 알 수 있습니다. 또 이어지는 글에서 민들레를 뿌리, 줄기, 잎, 꽃으로 나누어 설명하였습니다.

채점 기준

구분	답안 내용	
평가 기준	민들레를 여러 부분으로 알맞게 나누어 썼습니다.	상
	민들레를 여러 부분으로 나누어 썼지만, 띄어쓰기나 맞춤법이 틀린 부분이 있습니다.	중
	민들레를 여러 부분으로 나누어 쓰지 않았거나 빼고 쓴 부분이 있습니다.	하

4일

73쪽 똑똑한 **하루 글쓰기** 미리 보기

 여러 가지가 뒤섞여 있는 대상을 설명할 때에는 설명하는 대상을 종 류 별로 나누어 설명할 수 있어요.

 설명하는 대상을 종류별로 나눌 때에는 일정한 기 준 을 정해야 해요.

 설명하는 대상을 종류별로 나누어 설명하면 체 계 적 으로 정리하여 설명할 수 있어요.

74~75쪽 똑똑한 **하루 글쓰기**

1 새는 계절에 따라 사는 지역을 옮기는지에 따라서 철 새 와 텃새로 나눌 수 있다.

2 ❶ 철새는 알을 낳거나 겨울을 나기 위해서 계 절 에 따 라 이 동 하 는 새 로, 제비, 기러기, 청동오리 등이 있다.

❷ 텃새는 계절에 따라 이동하지 않고 언제나 한 곳 에 사 는 새 로, 참새, 비둘기, 까치 등이 있다.

3 새는 계절에 따라 사는 지역을 옮기는지에 따라서 철새와 텃새로 나눌 수 있다. 철새는 **❶** 예 알을 낳거나 겨울을 나기 위해서 계절에 따라 이동하는 새로, 제비, 기러기, 청동오리 등이 있다. 그리고 텃새는 **❷** 예 계절에 따라 이동하지 않고 언제나 한곳에 사는 새로, 참새, 비둘기, 까치 등이 있다.

1 새를 계절에 따라 사는 지역을 옮기는지에 따라서 종류별로 나누면 철새와 텃새로 나눌 수 있습니다.

2 철새는 알을 낳거나 겨울을 나기 위해서 계절에 따라 이동하는 새로, 제비, 기러기, 청둥오리 등이 있고, 텃새는 계절에 따라 이동하지 않고 언제나 한곳에 사는 새로, 참새, 비둘기, 까치 등이 있습니다.

3 새를 철새와 텃새로 나누어 설명하는 글이므로, 빈칸에는 철새와 텃새에 대한 설명이 들어가야 합니다.

채점 기준

새를 철새와 텃새로 나누어 자세히 설명하여 썼으면 정답으로 합니다.

76쪽 똑똑한 **하루 글쓰기** 고쳐쓰기

1 (1) 낳 는 다 (2) 낫 는 다
2 철새에는 제비, 기러기, 청동오리 등이 있다. 그 리 고 텃새에는 참새, 비둘기, 까치 등이 있다.

1 (1)은 철새가 알을 몸 밖으로 내놓는다는 뜻의 문장이므로 '낳는다'가 알맞습니다. (2)는 상처가 금방 고쳐져 본래대로 된다는 뜻의 문장이므로 '낫는다'가 알맞습니다.

2 두 문장은 철새와 텃새에 어떤 새가 있는지 알려 주는 서로 비슷한 내용의 문장이므로 '그리고'로 이어 주는 것이 자연스럽습니다.

『 왜 틀렸을까? 』
앞의 내용이 뒤의 내용의 원인이 될 때에는 '그래서'로 이어 줍니다.
예 감기에 걸렸다. 그래서 학교를 못 갔다.

77쪽 똑똑한 **하루 글쓰기** 마무리

예 쓰레기는 버리는 방법에 따라 일반 쓰레기, 재활용 쓰레기, 음식물 쓰레기로 나눌 수 있다.

○ 쓰레기는 버리는 방법에 따라서 재활용할 수 없는 일반 쓰레기, 땅에 묻거나 태우지 않고 가공하여 다시 사용하는 재활용 쓰레기, 비료와 사료로 재활용할 수 있는 음식물 쓰레기로 나눌 수 있습니다.

채점 기준

구분	답안 내용	
평가 기준	쓰레기를 글에서 설명한 세 가지 종류로 나눌 수 있다고 알맞게 썼습니다.	상
	쓰레기를 글에서 설명한 세 가지 종류로 나눌 수 있다고 썼지만, 띄어쓰기나 맞춤법이 틀린 부분이 있습니다.	중
	일반 쓰레기, 음식물 쓰레기, 재활용 쓰레기라는 말을 넣어 문장을 쓰지 못하였습니다.	하

5일

79쪽 **하루 글쓰기** 미리 보기

❶ 무엇
❷ 부분
❸ 종류
❸ 예

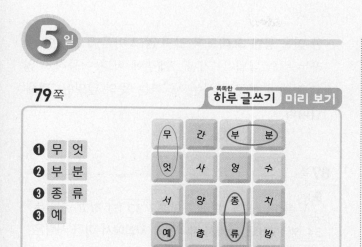

무	간	부	분
엇	사	영	수
서	양	종	치
예	촘	류	밤

80~81쪽 **하루 글쓰기**

1 개미는 무리를 이루어 사회생활을 하는 곤충 이다.
2 ❶ 개미의 몸은 머리 , 가슴 , 배로 이루어져 있다.
  ❷ 개미는 하 는 일 에 따라서 여왕개미, 수개미, 일개미, 병정개미로 나눈다.
3 예

개	미	는		무	엇	이	든		잘	
먹	는	다	.		예	를		들	어	,	씨	앗
이	나		잎	,	다	른		벌	레		등
을		먹	는	다	.					

1 개미에 대해 '무엇은 무엇이다'라고 설명한 문장으로, 빈칸에 들어갈 말은 '곤충'입니다.

{ 더 알아보기 }
개미처럼 무리를 이루어 사회생활을 하는 곤충에는 벌과 흰개미 등이 있습니다.

2 개미의 몸은 머리, 가슴, 배로 나눌 수 있고, 개미는 하는 일에 따라서 여왕개미, 수개미, 일개미, 병정개미로 나눌 수 있습니다.

3 개미는 무엇이든 잘 먹는 곤충입니다. 만화 속 내용이나 자신이 알고 있는 내용을 떠올려 어떤 것을 먹는지 예를 들어 써 봅니다.

채점 기준
개미의 먹이를 예를 들어 잘 썼으면 정답으로 합니다.

82쪽 **하루 글쓰기** 고쳐쓰기

1 예 개미는 역 할 에 따라서 여왕개미, 수개미, 일개미, 병정개미로 나눈다.
  예 개미는 임 무 에 따라서 여왕개미, 수개미, 일개미, 병정개미로 나눈다.
2 예

| 개 | 미 | 가 | | 씨 | 앗 | 을 | | 먹 | 는 | 다 | . |

1 '임무'는 '맡은 일, 또는 맡겨진 일.'이란 뜻을 가지고 있고, '역할'은 '자기가 마땅히 하여야 할 맡은 바 일이나 임무.'라는 뜻을 가지고 있습니다.

2 '먹는다'는 무엇을 먹는지 알 수 있는 말을 필요로 하는 말입니다.

83쪽 **하루 글쓰기** 마무리

예   제목: 자전거
자전거는 사람이 타고 앉아 두 다리의 힘으로 바퀴를 돌려서 앞으로 가도록 만든 탈것이다. (설명 방법 ①)
사람들이 자전거를 타는 이유는 다양하다. 예를 들어, 어디인가로 이동하기 위해 자전거를 타는 사람도 있고, 운동을 하기 위해 타는 사람도 있다. 자전거로 재주를 부리거나 여행을 하기 위해 자전거를 타는 사람도 있다. (설명 방법 ②)
자전거는 많은 부품으로 이루어져 있는데, 그 중에서도 중요한 것만 꼽자면 몸체, 핸들, 안장, 페달, 바퀴 등이 있다.
각 부품을 조립하는 중심 부분인 몸체에 자전거의 방향을 조정하는 핸들, 엉덩이를 대고 앉을 수 있는 안장, 두 발로 밟아 바퀴에 힘을 전달하는 페달, 페달을 밟은 힘으로 자전거를 굴러가게 하는 바퀴 등이 결합되어 있다. (설명 방법 ③)
자전거는 바퀴 수에 따라서 외발자전거, 두발자전거, 세발자전거 등으로 나눌 수 있다.
외발자전거는 바퀴가 한 개 달린 자전거로, 흔히 재주나 묘기를 부리기 위해 탄다. 두발자전거는 바퀴가 두 개 달린 자전거로, 우리가 흔히 타는 가장 일반적인 자전거이다. 세발자전거는 바퀴가 세 개 달린 조그만 자전거로, 잘 넘어지지 않기 때문에 어린아이들이 주로 탄다. (설명 방법 ④)

● 위 예시 답은 각각 ①~④의 설명 방법을 차례대로 사용하여 쓴 글입니다. 한 가지 이상의 설명 방법으로 자전거를 설명해 봅니다.

채점 기준		
구분	답안 내용	
평가 기준	한 가지 이상의 설명 방법을 사용하여 자전거를 설명하는 글을 알맞게 썼습니다.	상
	한 가지 이상의 설명 방법을 사용하여 자전거를 설명하는 글을 썼지만, 어색한 표현이 있습니다.	중
	보기 의 설명 방법을 사용하여 자전거를 설명하지 못하였습니다.	하

특강 　　　　똑똑한 **하루** 창의·융합·코딩

85쪽

누나가 자꾸 나를 놀리면 나도 화를 낼 거야. " 지 렁 이 도 밟 으 면 꿈 틀 한 다 "라는 말이 있다고.

86쪽

● '종이를 네모나게 접어 만드는 아이들의 장난감.'이라는 뜻의 낱말은 '딱지', '어떤 뜻깊은 일이나 훌륭

한 인물 등을 오래도록 잊지 않고 마음에 간직함.'이라는 뜻의 낱말은 '기념', '계절에 따라 이동하지 않고 언제나 한곳에 사는 새.'라는 뜻의 낱말은 '텃새'입니다.

87쪽

윤아는 모두 합쳐 제기를 30 번 찼고, 진호는 34 번 찼어요. 따라서 제기차기 시합에서 이긴 사람은 진 호 예요.

● 윤아는 '11+7+12=30'으로 30번을 찼고, 진호는 '5+14+15=34'로 34번을 찼습니다. 따라서 진호가 윤아보다 제기를 4번 더 찼습니다.

88쪽

우리나라 태극기

● 첫 번째 질문에서 설명하는 국기가 동양 나라의 국기라고 하였으므로 프랑스 국기는 아닙니다. 두 번째, 세 번째 질문에서 바탕이 흰색이고, 국기에 별 모양은 없다고 하였으므로 중국 국기도 아닙니다. 네 번째, 다섯 번째 질문에서 한가운데에 태극 모양이 있고, 네 모서리에 네 개의 괘가 있다고 하였으므로 설명하는 국기는 우리나라 태극기입니다.

89쪽

'다리가 세 쌍(여섯 개)인 동물', '몸이 머리, 가슴, 배로 나뉘는 동물'에 ○표

● 잠자리와 벌이 공통으로 가지는 특징을 찾아봅니다. 곤충인 잠자리와 벌은 몸이 머리, 가슴, 배로 이루어져 있고, 가슴에 세 쌍(여섯 개)의 다리가 있습니다.

〔 **왜 틀렸을까?** 〕
등에 딱딱한 껍질이 있는 동물은 '달팽이'이지만 달팽이는 곤충이 아닙니다.

평가

90~91쪽

1 설명   2 가은
3 제기차기는 제 기 가 떨어지지 않도록 톡톡 차며 즐기는 놀이이다.
4 (2) ○   5 예를 들어   6 달래
7 미국 국기를 열세 개의 줄 과 오십 개의 별 로 나누어 설명하였다.
8 (2) ○   9 (1) ② (2) ①   10 글 ㈎

---

1 이 글은 딱지치기에 대해 알기 쉽게 풀어서 설명하는 글입니다.

2 ㉠에서는 딱지치기에 대해 '무엇은 무엇이다'라고 알기 쉽게 설명하고 있습니다.

┌─ **【 더 알아보기 】**
'❶무엇은 ❷무엇이다.'의 내용 알아보기
❶딱지치기는 ❷종이를 접어 만든 딱지로 바닥에 놓은 상대의 딱지를 쳐서 뒤집는 놀이이다.
└─

3 그림 속 놀이는 '제기차기'이며, 제기차기는 제기가 떨어지지 않도록 톡톡 차며 즐기는 놀이입니다.

4 이 글은 곤충이 특별한 방법으로 의사소통을 한다는 사실을 자세한 예를 들어 설명하였습니다. 읽는 이는 춤을 추어 다른 벌들에게 꿀이 있는 곳을 알리는 벌과 페로몬을 내뿜어 먹이가 있는 곳을 알리는 개미의 예를 통해 곤충이 특별한 방법으로 의사소통한다는 것을 쉽게 이해할 수 있습니다.

5 제시된 글은 사람에게 도움이 되는 벌레에 대해 거미나 무당벌레의 예를 들어 알기 쉽게 설명하는 글입니다. 자세한 예를 들어 설명할 때에는 '예를 들어, 예컨대' 같은 말을 사용합니다.

┌─ **【 왜 틀렸을까? 】**
'왜냐하면'은 두 문장이 원인과 결과의 관계이면서 결과가 원인보다 먼저 나올 때 그 내용을 이어 주는 말입니다.
㉖ 몸이 아프다. 왜냐하면 감기에 걸렸기 때문이다.
└─

6 글 ㈎는 미국 국기를 여러 부분으로 나누어 그것들이 각각 어떤 의미를 가지고 있는지 설명한 글입니다. 일정한 기준에 따라 대상을 종류별로 나누어 설명한 것은 글 ㈏입니다.

7 글 ㈎는 미국 국기를 열세 개의 줄과 오십 개의 별로 나누어 이해하기 쉽게 설명하였습니다.

8 글 ㈏처럼 설명하는 대상을 종류별로 나누어 설명할 때에는 일정한 기준을 정해 그에 따라 대상을 나눕니다. 글 ㈏는 새들이 계절에 따라 사는 지역을 옮기는지를 기준으로, 알을 낳거나 겨울을 나기 위해서 계절에 따라 이동하는 '철새'와 계절에 따라 이동하지 않고 언제나 한곳에 사는 '텃새'로 나누었습니다.

9 (1)에는 배 속의 알을 몸 밖으로 내놓는다는 뜻의 '낳는다'가 어울리고, (2)에는 병이나 상처 따위가 고쳐져 본래대로 된다는 뜻의 '낫는다'가 어울립니다.

10 글 ㈎와 글 ㈏ 중에서 자전거에 대해 '무엇은 무엇이다'의 형식으로 설명한 것은 글 ㈎입니다.

┌─ **【 왜 틀렸을까? 】**
글 ㈏는 사람들이 자전거를 타는 이유가 다양하다는 사실을 예를 들어 설명하였습니다.
└─

한 주 동안
수고했어요~!

94~95쪽　　　　　이번 주에는 무엇을 공부할까? ❷

| 1-1 (1) × | 1-2 미 안 한 마음 |
| 2-1 (3) × | 2-2 미 안 해 |

1-1 사과하는 글에는 미안한 마음을 써야 합니다.

1-2 사과하는 글은 미안한 마음을 전하기 위한 글입니다.

2-1 사과하는 글을 쓸 때에는 상대의 탓을 하기보다는 미안한 마음을 진심으로 전해야 합니다.

2-2 사과하는 글을 쓸 때에 미안한 마음을 전하는 알맞은 표현은 '미안해'입니다.

1일

97쪽　　　　　똑똑한 **하루 글쓰기** 미리 보기

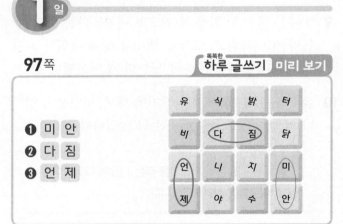

❶ 미 안
❷ 다 짐
❸ 언 제

98~99쪽　　　　　똑똑한 **하루 글쓰기**

1 (1) 점심시간 즈음에 서우에게 크레파스를 빌렸다.
　　(2) 서우에게 빌린 크레파스를 분식집에 놓고 왔다.

2 ❶ 점심시간 즈음에 서우에게 크레파스를 빌렸다.
　　❷ 서우에게 빌린 크레파스를 분식집에 놓고 왔다.

3
점 심 시 간	∨	즈 음 에	∨	서 우
에 게	∨	크 레 파 스 를	∨	빌 렸 다 .
그 런 데	∨	서 우 에 게	∨	빌 린	∨
크 레 파 스 를	∨	분 식 집 에	∨	놓
고	∨	왔 다 .

1 (1) 점심시간 즈음에 서우에게 크레파스를 빌렸습니다.
　　(2) 서우에게 빌린 크레파스를 분식집에 놓고 왔습니다.

2 글과 그림에 알맞게 문장으로 다시 써 봅니다.

3 **2**에서 쓴 문장을 넣어 예준이가 잘못한 일을 정리해 봅니다.

> **채점 기준**
> 사과하는 글을 쓰는 상황을 맞춤법에 맞게 잘 썼으면 정답입니다.

100쪽　　　　　똑똑한 **하루 글쓰기** 고쳐쓰기

1 (1) 잃 어 버 렸 다　(2) 잊 어 버 렸 다
2
| 분 식 집 에 서 | ∨ | 떡 볶 이 를 | ∨ |
| 사 | ∨ | 먹 었 어 . |

1 (1) 크레파스가 자신도 모르게 없어져 그것을 갖지 않게 된 상황에 어울리는 낱말은 '잃어버렸다'입니다.
　　(2) 친구와의 약속을 기억하지 못하고 집에서 놀고 있는 상황에 어울리는 낱말은 '잊어버렸다'입니다.

2 맞춤법에 맞게 '떡볶이', '먹었어'로 각 낱말을 고치고 문장을 따라 써 봅니다.

101쪽　　　　　똑똑한 **하루 글쓰기** 마무리

예
어 제	아 침 에	친 구 와
부 딪 쳐 서	친 구	옷 에	음
료 수 를	쏟 았 다 .

◯ 그림에 맞게 상황을 떠올려 문장을 완성합니다.

> **채점 기준**
>
> | 구분 | 답안 내용 | |
> |---|---|---|
> | 평가 기준 | 언제, 무슨 일이 있었는지 잘 드러나게 잘못한 일을 썼습니다. | 상 |
> | | 언제, 무슨 일이 있었는지 드러나게 썼지만 맞춤법이 틀린 부분이 있습니다. | 중 |
> | | 언제, 무슨 일이 있었는지 잘 드러나지 않습니다. | 하 |

2일

103쪽 똑똑한 하루 글쓰기 미리 보기

 – 사 과 , – 진 심 , – 장 난

104~105쪽 똑똑한 하루 글쓰기

1 (1) 지수야, 네가 아끼는 장난감을 망가뜨렸어.
 (2) 정말 미안해.
2 지수야, 네가 아끼는 장난감을 망가뜨려서 정말 미안해.
3
지	수	야	,		네	가	∨	아	끼	는	∨
장	난	감	을	∨	망	가	뜨	려	서	∨	정
말	∨	미	안	해	.						

1 (1) 그림에서 희수가 동생 지수의 비행기 장난감을 망가뜨려서 당황해하고 있습니다.
 (2) 그림에서 희수의 생각을 나타낸 '지수에게 너무 미안하다.'를 통해 희수는 지수에게 미안한 마음을 가지고 있음을 알 수 있습니다.

2 1에서 쓴 미안한 마음을 표현한 말을 한 문장으로 정리하여 씁니다.

3 2에서 쓴 문장을 넣어 미안한 마음을 표현하는 글을 써 봅니다.

채점 기준
사과하는 말을 써서 미안한 마음을 알맞게 썼으면 정답입니다.

106쪽 똑똑한 하루 글쓰기 고쳐쓰기

1 네가 아끼는 장난감을 부수어서 정말 미안해.
2
아	빠	,		버	릇	없	이	∨	말	대	꾸
를	∨	해	서	∨	죄	송	해	요	.		용	서
해	∨	주	세	요	.						

1 '망가뜨려서'는 '부수거나 찌그러지게 하여 못 쓰게 만들어서.'라는 뜻의 낱말입니다. 따라서 이와 바꿔 쓰기에 알맞은 낱말은 '만들어진 물건을 두드리거나 깨뜨려 못 쓰게 만들어서.'라는 뜻의 '부수어서'입니다.

왜 틀렸을까?
'만들어서'는 '노력이나 기술 따위를 들여 목적하는 사물을 이루어서.'라는 뜻이므로 '망가뜨려서'의 낱말 대신에 바꿔 쓰기에 알맞지 않습니다.

2 '섭섭해요'를 '죄송해요'로 고쳐 써야 합니다.

더 알아보기
미안한 마음을 표현할 때에는 '내 잘못이야.', '미안해.', '죄송합니다.' 등의 사과하는 말을 써서 표현해야 합니다.

107쪽 똑똑한 하루 글쓰기 마무리

예
반		친	구	들	아	,		어	제		급
식		시	간	에		차	례	를		지	키
지		않	고		새	치	기	를		해	서
너	무		미	안	해	.					

○ 동권이가 되어 급식 시간에 있었던 일로 반 친구들에게 진심을 담아 미안한 마음을 표현해서 써 봅니다.

채점 기준
구분	답안 내용	
평가 기준	보기 에서 사과하는 말을 찾아 맞춤법이나 띄어쓰기에 맞게 진심을 담아 미안한 마음을 잘 표현해서 썼습니다.	상
	보기 에서 사과하는 말을 찾아 진심을 담아 미안한 마음을 표현해서 썼으나 맞춤법이나 띄어쓰기가 틀린 부분이 있습니다.	중
	'미안해.'와 같이 사과하는 말만 간단하게 썼습니다.	하

3일

109쪽
똑똑한 하루 글쓰기 미리 보기

너와 더 친하게 지내고 싶어.

잘못된 것을 고치겠다는 말

앞으로는 거친 말을 쓰지 않을게.

앞으로 바라는 점

110~111쪽
똑똑한 하루 글쓰기

1 (1) 엄마, 앞으로는 게 임 하는 시간을 줄일게요.

　(2) 계획을 세워서 공 부 도 열심히 할게요.

2 엄마, 앞으로는 게 임 하 는 시 간 을 줄이고, 계 획 을 세워서 공 부 도 열 심 히 할게요.

3 　엄마, 앞으로는 게임하는 시간을 줄이고, 계획을 세워서 공부도 열심히 할게요.

1 (1) 그림에서 동윤이는 게임을 열심히 하고 있는데, 앞으로는 엄마께 게임하는 시간을 줄이겠다는 다짐을 할 것입니다.

　(2) 그림에서 동윤이는 공부를 열심히 하고 있는 모습입니다.

2 **1**에서 쓴 다짐이나 약속의 말을 한 문장으로 정리하여 써 봅니다.

3 **2**에서 쓴 문장을 넣어 엄마께 드릴 글에 들어갈 다짐이나 약속의 말을 써 봅니다.

　채점 기준
　엄마께 드릴 글에 들어갈 다짐이나 약속의 말을 알맞게 썼으면 정답입니다.

112쪽
똑똑한 하루 글쓰기 고쳐쓰기

1 (1) 가 리 키 고 　(2) 가 르 치 고

2 할 아 버 지 , 내 년 ∨ 생 신 에 는 ∨ 꼭 ∨ 가 서 ∨ 축 하 해 ∨ 드 릴 게 요 .

1 (1) '손가락 따위로 어떤 방향이나 대상을 집어서 보이거나 말하거나 알리고.'라는 뜻의 '가리키고'로 고쳐 써야 합니다.

　(2) '지식이나 기능 등을 깨닫게 하거나 익히게 하고.'라는 뜻의 '가르치고'로 고쳐 써야 합니다.

2 '생일'은 '생신'으로, '줄게'는 '드릴게요'로 고쳐 써야 합니다.

　{ 더 알아보기 }

　높임의 뜻이 있는 특별한 낱말 ⑩

　• 밥-진지　　• 말-말씀　　• 병-병환
　• 나이-연세　• 이름-성함　• 딸-따님
　• 있다-계시다　• 먹다-잡수시다 / 드시다
　• 아들-아드님　• 주다-드리다

113쪽
똑똑한 하루 글쓰기 마무리

⑩ 엄마, 앞으로는 <u>건강을 위해 정성껏 요리해 주신 반찬을 골고루 먹을게요.</u>

⑩ 엄마, 앞으로는 <u>채소와 고기를 골고루 먹고 튼튼한 아이가 될게요.</u>

○ **보기** 에서 둘 중에 마음에 드는 것을 골라 써 봅니다.

채점 기준

구분		답안 내용	
평가 기준		**보기** 중 한 가지를 골라 맞춤법과 띄어쓰기에 맞게 잘 썼습니다.	상
		보기 중 한 가지를 골라 썼지만 맞춤법과 띄어쓰기가 틀린 부분이 있습니다.	중
		다짐이나 약속의 말을 알맞게 쓰지 못하였습니다.	하

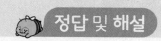

115쪽   똑똑한 하루 글쓰기 미리 보기

 – 미안한 마음, – 약속,

– 진심

116~117쪽   똑똑한 하루 글쓰기

1 (1) 숙제를 하다가 성주와의 약속 시간 에 늦었다.
　(2) 사과하지 않고 오히려 성주에게 화 를 냈다.

2 약속 시간에 늦었는데도 사과하지 않고 오히려 화를 냈어.미안해.

3

	앞	으	로	는	∨	약	속	∨	시	간	을	∨
잘	∨	지	키	고	,	잘	못	한	∨	일	이	∨
있	으	면	∨	바	로	∨	사	과	할	게	.	

1 (1) 그림에서 예원이는 성주와의 약속 시간에 늦었다고 말하며 자전거를 타고 급하게 가고 있습니다.
　(2) 그림에서 예원이는 약속 시간에 늦었는데 바로 사과하지 않고 오히려 성주에게 화를 내고 있습니다.

2 예원이가 성주에게 미안한 마음을 어떻게 표현해야 하는지 보기 에서 알맞은 말을 골라 문장을 완성해 봅니다.

3 예원이가 성주에게 사과하는 글을 쓸 때 들어갈 다짐이나 약속의 말을 보기 에서 골라 알맞게 써 봅니다.

채점 기준

사과하는 글에 들어갈 다짐이나 약속의 말을 보기 에서 골라 맞춤법과 띄어쓰기에 맞게 썼으면 정답입니다.

118쪽   똑똑한 하루 글쓰기 고쳐쓰기

1 집에 가서 친구에게 사과하는 글을 반드시 쓸 거야.

2

성	민	아	,	∨	나	∨	때	문	에	∨	옷
에	∨	음	료	수	를	∨	쏟	았	잖	아	.
장	난	을	∨	쳐	서	∨	미	안	해	.	앞
으	로	는	∨	조	심	히	∨	행	동	할	게 |.

1 '기필코'와 '반드시'는 '틀림없이 꼭.'이라는 뜻으로, 서로 바꾸어 써도 문장의 뜻이 변하지 않습니다.

2 '쏘닸자나'는 '쏟았잖아'로, '미아내'는 '미안해'로, '아프로는'은 '앞으로는'으로 고쳐 써야 합니다.

119쪽   똑똑한 하루 글쓰기 마무리

예 어제 집으로 돌아오는 길에 거짓말을 해서 정말 미안해. 앞으로는 거짓말을 하지 않고 너에게 진실된 친구가 될게.

예 쉬는 시간에 네가 책을 읽고 있는데 장난을 쳐서 정말 미안해. 앞으로는 네가 책을 읽거나 공부를 하고 있으면 방해하지 않을게.

예 네 지우개를 사용하고 돌려주지 않아서 미안해. 앞으로는 사용하고 바로 돌려줄게.

예 어제 점심시간에 내 기분이 좋지 않다고 네게 함부로 말해서 정말 미안해. 용서해 줘. 앞으로는 네 마음도 생각해서 말하도록 할게.

○ 보기 에서 잘못한 상황 중 하나를 골라 친구에게 사과하는 글을 써 봅니다.

채점 기준

구분	답안 내용	
평가 기준	보기 중 한 가지 상황을 골라 미안한 마음과 그 까닭, 다짐이나 약속 등을 모두 넣어 친구에게 사과하는 글을 잘 썼습니다.	상
	보기 중 한 가지 상황을 골라 미안한 마음과 그 까닭, 다짐이나 약속 등을 모두 넣어 친구에게 사과하는 글을 썼지만 맞춤법과 띄어쓰기가 틀린 부분이 있습니다.	중
	친구에게 잘못한 상황으로 사과하는 글을 쓰지 못하였습니다.	하

5일

121쪽 똑똑한 **하루 글쓰기** 미리 보기

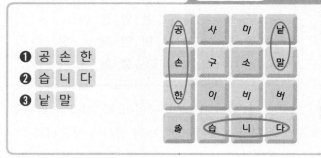

❶ 공손한
❷ 습니다
❸ 낱말

122~123쪽 똑똑한 **하루 글쓰기**

1 거실을 청소 하라는 아버지께 짜증 을 냈다.

2 어질러 놓은 거실을 스스로 치우겠다고 말씀드렸어야 했는데 짜증부터 내서 정말 죄송 하다 .

3 예 부모님께 예의 바르게 행동하는 예진이가 될게요. / 예 앞으로는 아버지께 바르고 고운 말을 사용할게요. / 예 제가 어질러 놓은 것은 말씀하시지 않아도 스스로 치울게요.

1 예진이는 거실을 청소하라고 말씀하시는 아버지께 짜증을 냈습니다.

2 예진이는 어질러 놓은 거실을 스스로 치우겠다고 말씀드렸어야 했는데 짜증부터 내서 아버지께 죄송한 마음을 가지고 있을 것입니다.

3 **2**에서 쓴 마음에 알맞게 다짐이나 약속 부분에 어떤 내용을 쓰면 좋을지 써 봅니다. 어떤 문장을 써도 답이 될 수 있습니다.

> 채점 기준
>
> **보기** 의 문장 중 한 가지를 골라 알맞게 썼으면 정답입니다.

124쪽 똑똑한 **하루 글쓰기** 고쳐쓰기

1 (1) 그제 (2) 모레

2

| | 편 | 찮 | 으 | 신 | ∨ | 어 | 머 | 니 | 께 | ∨ | 화 |
| 를 | ∨ | 내 | 서 | ∨ | 죄 | 송 | 했 | 다 | . | | |

1 '어제의 전날.'을 나타내는 알맞은 낱말은 '그제'이고, '내일의 다음 날.'을 나타내는 알맞은 낱말은 '모레'입니다.

> { 더 알아보기 }
>
> '그제'는 '그저께'로 바꾸어 쓸 수 있고, '모레'는 '내일모레'로 바꾸어 쓸 수 있습니다. 또, '모레'의 다음 날을 나타내는 낱말은 '글피'입니다.

2 '아픈' 대신 '편찮으신'으로 고쳐 써야 합니다.

125쪽 똑똑한 **하루 글쓰기** 마무리

예 아버지께

안녕하세요, 아버지. 저 유리예요.
오늘 아침에 초콜릿을 먹다가 저도 모르게 바닥에 초콜릿을 흘렸어요. 제가 흘린 초콜릿을 밟으시고 아버지의 양말이 더러워지고 말았지요. 누가 흘린 거냐고 물으실 때 혼날까 봐 무서워서 솔직히 말하지 못했어요. 정말 죄송해요.
앞으로는 간식을 먹을 때 바닥에 흘리지 않도록 조심하고, 제가 흘린 것은 바로바로 치우도록 주의할게요.
그럼 안녕히 계세요.

20○○년 ○○월 ○○일
유리 올림

○ 부모님께 사과하는 글을 편지 형식으로 쓸 때에 들어갈 내용을 각각 정리하여 글을 완성해 봅니다.

채점 기준		
구분	답안 내용	
평가 기준	언제, 무슨 일이 있었는지 떠올려 잘못한 일을 쓰고 미안하다는 마음을 표현한 후 앞으로의 다짐과 약속을 잘 썼습니다.	상
	언제, 무슨 일이 있었는지 떠올려 잘못한 일을 쓰고 미안하다는 마음을 표현한 후 앞으로의 다짐과 약속을 썼지만 맞춤법이 틀린 부분이 있습니다.	중
	언제, 무슨 일이 있었는지 잘 드러나지 않게 미안하다는 마음만 간단히 썼습니다.	하

127쪽

"다 된 죽에 코 풀기"를 한다더니 내가 힘들게 세운 도미노를 형이 넘어뜨렸다.

128쪽

● '어떤 일이 있고 난 바로 다음.'이라는 뜻의 낱말은 '직후', '아랫사람의 잘못을 꾸짖는 말.'이라는 뜻의 낱말은 '꾸중', '마음속으로 괴로워하고 애를 태움.'이라는 뜻의 낱말은 '고민', '틀림없이 꼭.'이라는 뜻의 낱말은 '반드시', '책을 읽음.'이라는 뜻의 낱말은 '독서'입니다.

【 왜 틀렸을까? 】

• **잃어버리다**: 가졌던 물건이 자신도 모르게 없어져 그것을 아주 갖지 않게 되다.
• **잊어버리다**: 한번 알았던 것을 모두 기억하지 못하거나 전혀 기억하여 내지 못하다.
• **망가뜨리다**: 부수거나 찌그러지게 하여 못 쓰게 만들다.
• **미리**: 어떤 일이 생기기 전에. 또는 어떤 일을 하기에 앞서.
• **가르치다**: 지식이나 기능 등을 깨닫게 하거나 익히게 하다.
• **푹**: 아주 깊이 빠지거나 잠기는 모양.
• **계획**: 앞으로 할 일의 절차, 방법, 규모 따위를 미리 헤아려 결정함. 또는 그 내용.

129쪽

(2) ○

● 문구점에서 장난감 가게로 이동하기 위해서는 '위쪽으로 1칸, 왼쪽으로 1칸 이동하기'를 세 번 반복하면 됩니다. 따라서 빈 부분에 알맞은 코딩 블록은 '위쪽으로 1칸, 왼쪽으로 1칸 이동하기'입니다.

130쪽

게임을 시작한 시간은 2 시 20 분이고, 게임을 끝마친 시간은 3 시 30 분이므로 동윤이는 1 시간 10 분 동안 게임을 했어요.

● 첫 번째 그림에서 시계는 2시 20분을 가리키고 있고, 게임을 끝마친 두 번째 그림에서 시계는 3시 30분을 가리키고 있습니다. 따라서 동윤이는 1시간 10분 동안 게임을 했습니다.

131쪽

아빠, 어제 동생과 싸워서 아빠를 속상하게 해서 죄 송 해 요. 항상 동생을 잘 돌보라고 하셨는데 앞으로는 동생과 잘 지 내 고, 아빠 말씀을 잘 들 을 게 요. 사 랑 해 요.

서윤 올림

● 화살표를 따라 이동하면 다음과 같습니다.

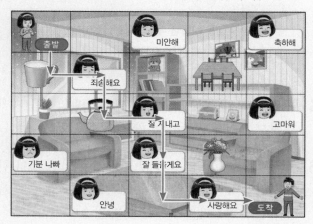

평가　　　　　　　　　**누구나 100점** 테스트

132~133쪽

1 사 과 하는 글　　　　　　　**2** (1) ○
3 정말 미 안 해 .
4 엄마와의 약속을 지키지 않고 게 임 을 너무 많이 했다.
5 (3) ×　　　　　　　　　**6** (1) ○
7 글봇
8

	안	녕	하	세	요	,	어
머	니	.	저	∨	찬	규	예
요	.						

9 방을 청소하라고 하시는 어머니께 짜 증 을 냈다.
10 (1) ② (2) ①

1 사과하는 글은 미안한 마음과 앞으로의 다짐과 약속을 읽는 사람에게 전하는 글로, 자신이 잘못한 일을 떠올려 씁니다.

2 컵을 깨뜨린 그림에 알맞은 일은 (1)입니다.

〔 왜 틀렸을까? 〕
(2)의 상황에 알맞은 일은 다음과 같습니다.

3 사과하는 표현으로 알맞은 말은 '미안해.'입니다. '고마워.'는 고마운 마음을 표현하는 말입니다.

〔 더 알아보기 〕
미안한 마음을 나타낼 때에는 '내 잘못이야.', '~해서 죄송합니다.' 등의 사과하는 표현을 쓸 수도 있습니다.

4 이 글에 나타난 잘못한 일은 엄마와의 약속을 지키지 않고 게임을 너무 많이 한 것입니다.

5 엄마와의 약속을 지키지 않고 게임을 너무 많이 한 일을 떠올려 사과하는 글을 쓰는 것이므로, 게임을 더 열심히 하겠다는 (3)은 알맞지 않습니다.

6 약속 시간에 늦었는데 사과하지 않고 오히려 화를 낸 일에 대해 전할 마음으로 알맞은 것은 미안한 마음입니다.

7 예원이가 성주에게 미안한 마음을 전하기 위한 다짐이나 약속을 알맞게 말한 친구는 글봇입니다.

8 부모님께 사과하는 글을 쓸 때에는 공손한 표현을 사용해야 합니다. 높임 표현을 쓸 때에는 '안녕'을 '안녕하세요'로, '나'를 '저'로 쓸 수 있고, '-요'로 문장을 끝맺어 '찬규야.'를 '찬규예요.'로 바꾸어 쓸 수 있습니다.

〔 더 알아보기 〕
'저'는 듣는 이가 윗사람이나 그다지 가깝지 않은 사람일 때 말하는 이가 자기를 낮추어 가리키는 말입니다. '저'에 '-가'가 붙을 때에는 형태가 '제'로 바뀝니다.
예 제가 발표하겠습니다.

9 찬규는 방을 청소하라는 어머니께 짜증을 낸 일에 대해 미안한 마음을 전하고 있습니다.

10 친구에게는 '미안해.' 부모님께는 '죄송해요.' 등의 표현을 사용할 수 있습니다.

한 주 동안
수고했어요~!

136~137쪽　　이번 주에는 무엇을 공부할까? ❷

1-1 책을 읽은 장소　　　1-2 책 내 용
2-1 ㉯　　　　　　　　2-2 책

1-1 독서 감상문에는 책을 읽게 된 까닭, 책 내용, 책을 읽고 생각하거나 느낀 점 등을 씁니다.

1-2 책 내용을 쓴 부분입니다.

2-1 '㉯ → ㉮ → ㉣ → ㉢ → ㉫'의 순서로 씁니다.

2-2 독서 감상문을 쓸 책을 고르고 있습니다.

 **1일**

139쪽　　　　똑똑한 하루 글쓰기　미리 보기

> 책을
> 읽게 된
> 까닭

140~141쪽　　　똑똑한 하루 글쓰기

1 (1) 내 짝이 쉬는 시간에도 책을 읽 고 있었다.
　(2) 무 척 재미있어 보여서 나도 그 책을 빌려 읽었다.

2 ❶ 내 짝이 쉬는 시간에도 책 을 읽 고 있 었 다 .
　❷ 무 척 재미있어 보여서 나도 그 책을 빌 려 읽 었 다 .

3
	내	∨	짝	이	∨	쉬	는	∨	시	간	에
도	∨	책	을	∨	읽	고	∨	있	었	다	.
무	척	∨	재	미	있	어	∨	보	여	서	∨
나	도	∨	그	∨	책	을	∨	빌	려	∨	읽
었	다	.									

1 (1) 그림에서 여자아이는 책을 읽고 있습니다.
　(2) '재미있어 보여서'와 어울리는 말은 '무척'입니다.

2 책을 왜 읽게 되었는지 두 문장으로 씁니다.

3 책을 읽게 된 까닭을 한 문단으로 씁니다.

채점 기준

> 책을 읽게 된 까닭을 맞춤법이나 띄어쓰기에 맞게 썼으면 정답입니다.

142쪽　　　똑똑한 하루 글쓰기　고쳐쓰기

1 (1) 꾀 　(2) 꽤

2
	삼	촌	께	서	∨	서	점	에	서	∨	책
을	∨	사	∨	주	셨	다	.				

1 (1) '일을 꾸미거나 해결하기 위한 뛰어나고 빠른 생각이나 방법.'을 뜻하는 '꾀'를 씁니다.
　(2) '보통보다 조금 더한 정도로.'를 뜻하는 '꽤'를 씁니다.

2 삼촌은 높임의 대상이므로 '삼촌이' 대신 '삼촌께서', '주었다' 대신 '주셨다'로 고쳐 써야 합니다.

> 〔 더 알아보기 〕
> **높임 표현을 사용하는 방법**
> • '-습니다'나 '-요'를 써서 문장을 끝맺습니다.
> • 높임을 나타내는 '-시-'를 넣습니다.
> • 높임의 대상에게 '께서'나 '께'를 사용합니다.
> • 높임의 뜻이 있는 특별한 낱말을 사용합니다.

143쪽　　　똑똑한 하루 글쓰기　마무리

예 ❶ 동물 이야기를 좋아해서 동물이 주인공으로 나오는 ❷ 『대단한 줄다리기』라는 책을 읽게 되었어.
예 ❶ 엄마께서 읽어 보라며 도서관에서 빌려다 주셔서 ❷ 『강아지똥』이라는 책을 읽게 되었어.

○ ❶에는 책을 읽게 된 까닭, ❷에는 책 제목을 씁니다.

채점 기준

구분		답안 내용	
평가 기준		책을 왜 읽게 되었는지와 책 제목을 넣어 알맞은 문장을 썼습니다.	상
		책을 왜 읽게 되었는지와 책 제목을 넣어 문장을 썼지만 맞춤법에 어긋나는 부분이 있습니다.	중
		읽은 책 제목만 간단하게 썼습니다.	하

2일

145쪽　똑똑한 하루 글쓰기 미리 보기

 - 원 인 , 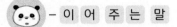 - 결 과 ,

🐼 - 이 어 주 는 말

146~147쪽　똑똑한 하루 글쓰기

1 (1) 사나이가 피리를 불어 쥐들을 강에 빠뜨렸다.

　(2) 쥐들이 모두 없어졌다.

2 ❶ 사나이가 피리를 불어 쥐들을 강에 빠뜨렸다.

　❷ 그래서 쥐들이 모두 없어졌다.

3 쥐들을 모두 쫓아 주면 천 냥을 받기로 한 사나이가 ❶ 예 피리를 불어 쥐들을 강에 빠뜨렸다. 그래서 ❷ 예 쥐들이 모두 없어졌다.

1 (1) 그림에서 사나이는 피리를 불고 있습니다.

　(2) 그림에서 사람들은 쥐들이 모두 없어졌다며 만세를 부르고 있습니다.

2 **1**에서 일어난 일의 원인은 사나이가 피리를 불어 쥐들을 강에 빠뜨린 것이고, 결과는 쥐들이 모두 없어진 것입니다.

3 「피리 부는 사나이」의 앞부분 이야기를 읽고, 원인과 결과에 따라 줄거리를 요약해 한 문단으로 씁니다.

채점 기준

　원인과 결과에 따라 중요한 일을 알맞게 간추려 썼으면 정답입니다.

148쪽　똑똑한 하루 글쓰기 고쳐쓰기

1 갑자기 쥐 떼가 나타나 사람들이 화들짝 놀랐다.

2

그	래	서	∨	시	장	은	∨	쥐	를	∨	모
두	∨	쫓	아	∨	주	는	∨	사	람	에	게	∨
돈	을	∨	주	기	로	∨	약	속	했	다	.

1 '깜짝'은 '갑자기 놀라는 모양.'을 뜻하는 낱말입니다. 따라서 '별안간 호들갑스럽게 펄쩍 뛸 듯이 놀라는 모양.'이라는 뜻의 '화들짝'과 바꾸어 쓸 수 있습니다.

2 '마을에 갑자기 쥐 떼가 나타나 사람들이 깜짝 놀랐다.'는 원인이 되는 문장이고, '시장은 쥐를 모두 쫓아 주는 사람에게 돈을 주기로 약속했다.'는 결과가 되는 문장입니다. 따라서 이 두 문장은 이어 주는 말 '그래서'로 이어 주는 것이 알맞습니다.

{ 더 알아보기 }

이어 주는 말

그래서, ~어서, ~여	두 문장이 원인과 결과의 관계일 때 내용을 이어 주는 역할을 합니다.
그러나, ~(으)나, ~지만	서로 반대되는 내용을 이어 주는 역할을 합니다.
그리고, ~고	서로 비슷한 내용을 이어 주는 역할을 합니다.

149쪽　똑똑한 하루 글쓰기 마무리

예

	시	장	은		약	속	한		돈	을	
주	지		않	았	다	.		그	래	서		화
가		난		사	나	이	는		또	다	시
피	리	를		불	어		아	이	들	을	
이	끌	고		사	라	졌	다	.

○ 시장이 약속한 돈을 주지 않은 것이 원인이 되어 일어난 결과가 어떠한지 정리하여 써 봅니다.

채점 기준

구분	답안 내용	
평가 기준	사나이가 피리를 불었다는 내용과 아이들이 사라졌다는 내용을 모두 넣어 알맞게 썼습니다.	상
	사나이가 피리를 불었다는 내용이나 아이들이 사라졌다는 내용 중 한 가지만 썼습니다.	중
	사나이가 피리를 불었다는 내용이나 아이들이 사라졌다는 내용을 모두 쓰지 못하였습니다.	하

3일

151쪽 똑똑한 하루 글쓰기 미리 보기

❶ 줄거리
❷ 누구
❸ 차례

차	례	방	법
글	줄	누	구
쓴	거	결	슬
이	리	과	기

152~153쪽 똑똑한 하루 글쓰기

1 (1) 소를 │부│러│워│하였다.
  (2) 머리에 │쇠│머│리│탈│을 썼다.
  (3) 게으름뱅이는 │소│가 되었다.

2 ❶ 소를 │부│러│워│하던 게으름뱅이는 한 할아버지의 말을 듣고 머리에 │쇠│머│리│탈│을│썼│다│.
  ❷ 쇠머리 탈을 쓴 게으름뱅이는 │소│가│되│었│다│.

3 예 소를 부러워하던 게으름뱅이는 한 할아버지의 말을 듣고 머리에 쇠머리 탈을 썼다. 그러자 쇠머리 탈을 쓴 게으름뱅이는 소가 되었다.

1 (1) 게으름뱅이는 소를 보고 부러워하였습니다.
  (2) 게으름뱅이가 머리에 쓴 것은 쇠머리 탈입니다.
  (3) 쇠머리 탈을 쓴 게으름뱅이는 소가 되었습니다.

2 게으름뱅이에게 일어난 일을 두 문장으로 씁니다.

3 게으름뱅이에게 어떤 일이 일어났는지 정리하여 일이 일어난 차례에 따라 간추려 씁니다.

채점 기준

먼저 일어난 일부터 차례대로 중요한 일을 요약하여 알맞게 썼으면 정답입니다.

154쪽 똑똑한 하루 글쓰기 고쳐쓰기

1 (1) │혼│잣│말│ (2) │웬│일│이│에│요│

2 │ │소│는│∨│참│∨│좋│겠│다│.│ │아│무│ │것│도│∨│안│∨│하│고│∨│놀│기│만│∨│ │하│니│∨│얼│마│나│∨│편│해│?│

1 (1) '말을 하는 상대가 없이 혼자서 하는 말.'이라는 뜻의 낱말은 '혼잣말'이라고 써야 합니다.
  (2) 갑자기 생각지도 못한 일이 일어났을 때 '어찌 된 일.'이라는 뜻으로 쓰는 말은 '웬일'이므로 '웬일이에요'라고 써야 합니다.

2 '조켔다', '않 하고', '펴네'는 '좋겠다', '안 하고', '편해'라고 고쳐 써야 합니다.

┌─ 더 알아보기 ─┐

'안'과 '않'을 구분하는 방법

'안'은 '아니'의 준말이고, '않(다)'은 '아니해(다)'의 준말입니다. 그러므로 '안'과 '않'이 헷갈리는 곳에 '아니'와 '아니하'를 넣어서 '아니'가 자연스러우면 '안'을 쓰고, '아니하'가 자연스러우면 '않'을 씁니다.

예 밥을 아니 먹는다. → 밥을 안 먹는다.
  밥을 먹지 아니한다. → 밥을 먹지 않는다.

155쪽 똑똑한 하루 글쓰기 마무리

예		일	이		너	무		힘	들	었	던	
게	으	름	뱅	이	는		죽	으	려	고	
무	를		먹	었	다	.		하	지	만		죽
지		않	고		다	시		사	람	으	로	
돌	아	와		부	지	런	하	게		살	았	
다	.											

◉ 게으름뱅이에게 일어난 일을 일이 일어난 차례대로 정리하여 써 봅니다.

채점 기준

구분	답안 내용	
평가 기준	게으름뱅이가 무를 먹고 사람이 되어 부지런하게 살았다는 내용을 모두 넣어 알맞게 썼습니다.	상
	게으름뱅이가 무를 먹고 사람이 되었다는 내용을 썼지만 표현이 어색합니다.	중
	게으름뱅이가 사람이 되었다는 내용만 간단히 썼습니다.	하

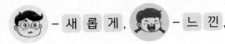

4_일

- 새롭게, 　 - 느낀,

- 까닭

---

1 소 가 되었던 게으름뱅이는 사 람 으로 돌아온 뒤에 부 지 런 히 일했다.

2 ❶ 부 지 런 해 지 려 는 게으름뱅이의 마음에 공감할 수 있었다.

　❷ 나도 소 가 되 지 않도록 게을러지지 말아야겠다.

3
부	지	런	해	지	려	는	V	게	으	름
뱅	이	의	V	마	음	에	V	공	감	할	V
수	V	있	었	다	.	나	도	V	소	가	V
되	지	V	않	도	록	V	게	을	러	지	지	V
말	아	야	겠	다	.						

1 인상 깊은 장면에서 게으름뱅이는 소가 되었다가 사람으로 돌아왔으니 부지런히 일해야겠다고 말합니다.

2 인상 깊은 장면에 대한 생각이나 느낌을 문장으로 씁니다.

> **더 알아보기**
> 독서 감상문에 생각이나 느낌을 쓸 때에는 좀 더 자세히 쓰고 자신의 경험과 연관 지어 쓰거나 다양한 표현을 사용하면 좋습니다.

3 독서 감상문에 들어갈 생각이나 느낌을 한 문단으로 씁니다.

> **채점 기준**
> 소가 되었던 게으름뱅이가 사람으로 돌아온 뒤에 부지런히 일하는 모습에 대한 생각이나 느낌을 알맞게 썼으면 정답입니다.

---

1 예 게으름뱅이는 매우 부지런한 사람이 되었다.

　예 게으름뱅이는 무척 부지런한 사람이 되었다.

　예 게으름뱅이는 굉장히 부지런한 사람이 되었다.

2
책	V	표	지	가	V	재	미	있	어	V
보	여	서	V	책	을	V	읽	게	V	되	었
다	.										

1 '보통 정도보다 훨씬 더 넘어선 상태로.'라는 뜻의 '아주'는 '매우', '무척', '굉장히'와 바꾸어 써도 문장의 뜻이 변하지 않습니다.

2 '책 표지가 재미있어 보였다.'의 '보였다'와 '그래서 책을 읽게 되었다.'의 '그래서'를 '보여서'라고 합쳐서 고쳐 쓰면 두 문장을 한 문장으로 만들 수 있습니다.

예	나	도		게	으	름	을		피	우	지
	말	고		열	심	히		공	부	해	야	겠
	다	.										

예	나	도		게	으	름	을		피	우	지
	말	고		성	실	하	게		살	아	야	겠
	다	.										

예	나	도		게	으	름	을		피	우	지
	말	고		부	지	런	한		사	람	이	
	되	어	야	겠	다	.						

◉ 책 『소가 된 게으름뱅이』를 읽고 생각하거나 느낀 점을 떠올려 써 봅니다.

> **채점 기준**
>
> | 구분 | 답안 내용 | |
> |---|---|---|
> | 평가
기준 | 보기 중 한 가지를 골라 맞춤법과 띄어쓰기에 맞게 썼습니다. | 상 |
> | | 보기 중 한 가지를 골라 썼지만 맞춤법과 띄어쓰기가 틀린 부분이 있습니다. | 중 |
> | | 책 『소가 된 게으름뱅이』와 관련 없는 생각이나 느낌을 썼습니다. | 하 |

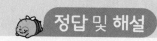

163쪽

똑똑한 **하루 글쓰기** 미리 보기

❶ 내 용
❷ 인 상
❸ 생 각

164~165쪽

똑똑한 **하루 글쓰기**

1 친구가 재미있게 읽었다고 추천 해 주어서 읽게 되었다.

2 ❶ 쥐들의 회의에서 무서운 고양이를 피할 수 있는 방법으로 고양이 목에 방울을 달자 는 의견이 나왔다.
❷ 하지만 고양이 목에 방울을 달 쥐가 없는 것이 문제였다.

3 ⑩ 실천할 수 있는 계획을 세워야겠다고 생각했다.
⑩ 말은 쉽지만 행동하기가 어렵다는 것을 깨달았다.

1 그림에서 여자아이는 자신이 재미있게 읽은 책을 추천한다고 말했습니다.

2 그림에 알맞게 독서 감상문의 '책 내용' 부분에 들어갈 내용을 문장으로 정리하여 써 봅니다.

3 책 『고양이 목에 방울 달기』를 읽고 생각하거나 느낀 점을 떠올려 써 봅니다.

채점 기준

보기 의 내용 중 한 가지를 골라 알맞게 썼으면 정답입니다.

166쪽

똑똑한 **하루 글쓰기** 고쳐쓰기

1 앞으로도 책을 많이 읽고 모르는 말의 뜻을 배워야겠다 .

2
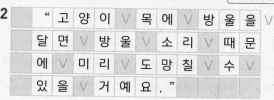

1 '앞으로도'라는 말에 어울리게 '배웠다'를 '배워야겠다'라는 말로 고쳐 써야 합니다.

2 쥐돌이가 말한 내용이므로 작은따옴표 대신 큰따옴표로 고쳐 써야 합니다.

더 알아보기

마침표와 닫는 큰따옴표, 마침표와 닫는 작은따옴표는

| . | " | , | ' | 와 같이 한 칸에 씁니다.

167쪽

똑똑한 **하루 글쓰기** 마무리

⑩

읽은 날	20○○년 ○○월 ○○일 수요일		
책 제목	강아지똥	글쓴이	권정생
책을 읽게 된 까닭	친구가 감동적인 이야기라며 추천해 주어서 읽게 되었다.		
책 내용	강아지똥은 지나가는 참새나 흙에게 하찮고 냄새가 난다고 무시당한다. 하지만 강아지똥 옆에 핀 민들레가 자신이 꽃을 피울 수 있도록 강아지똥에게 거름이 되어 달라고 부탁한다. 강아지똥은 자신의 몸을 잘게 부수어 민들레의 거름이 되어 주고, 민들레는 노랗게 꽃을 피운다.		
생각이나 느낌	이 세상에 쓸모없는 것은 하나도 없다는 것을 깨달았다.		

⑩

읽은 날	20○○년 ○○월 ○○일 금요일		
책 제목	아름다운 꼴찌	글쓴이	이철환
책을 읽게 된 까닭	책 제목이 특이하다고 느껴져서 도서관에서 빌려 읽게 되었다.		
책 내용	수현이는 마라톤 대회에서 너무 힘들어서 포기하려고 했지만 자기 뒤에서 꼴찌로 달리는 친구가 있다는 사실을 알고 힘을 얻어 끝까지 달린다. 끝까지 달린 사실을 부모님께 자랑했던 수현이는 자신의 뒤에서 달린 사람이 아빠였다는 사실을 알게 된다.		
생각이나 느낌	포기하지 않고 끝까지 노력하는 모습이 감동적이었다.		

● 독서 감상문에 들어갈 내용을 각각 정리하여 씁니다.

채점 기준

구분	답안 내용	
평가 기준	읽은 날, 책 제목, 글쓴이, 책을 읽게 된 까닭, 책 내용, 생각이나 느낌을 모두 알맞게 썼습니다.	상
	독서 감상문에 들어갈 내용 중 일부가 빠져 있거나 맞춤법이나 띄어쓰기가 틀린 부분이 있습니다.	중
	책 내용 또는 생각이나 느낌만 간단히 썼습니다.	하

특강 똑똑한 하루 창의·융합·코딩

169쪽

"콩 심은 데 콩 나고 팥 심은 데 팥 난다"라는 말이 있어. 내일이 시험인데 그렇게 놀기만 하면 점수가 좋지 않을 거야.

170쪽

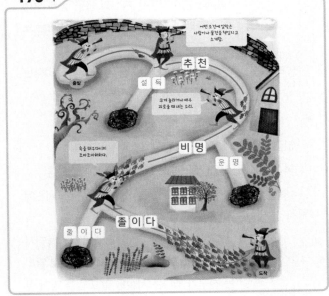

● '어떤 조건에 알맞은 사람이나 물건을 책임지고 소개함.'이라는 뜻의 낱말은 '추천', '크게 놀라거나 매우 괴로울 때 내는 소리.'라는 뜻의 낱말은 '비명', '속을 태우다시피 조마조마해하다.'라는 뜻의 낱말은 '졸이다'입니다.

171쪽

친구가 「대단한 줄다리기」를 추천해 주어서 읽게 되었어요.

● 코딩 명령에 따라 이동하면 다음과 같습니다.

172쪽

● 「소가 된 게으름뱅이」의 뒷이야기 중 어떤 장면을 그렸는지 잘 살펴보며 서로 다른 부분을 찾아봅니다.

173쪽

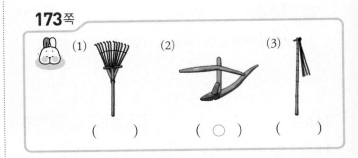

(1) ( ) (2) (○) (3) ( )

● 논밭을 가는 농기구인 쟁기는 (2)입니다.

〔 더 알아보기 〕
(1)은 낙엽이나 곡물 등을 긁어모으는 데 사용하는 갈퀴, (3)은 곡식의 낟알을 떼어 내는 데 쓰는 도리깨입니다.

평가 누구나 100점 테스트

174~175쪽

1 독서 감상문   **2** (2) ×

3 ③

4

나	도	V	무	툴	라	처
럼	V	지	혜	를	V	갖	고	V
싶	다	.				

5 그래서   **6** ④

7 (2) ○

8

그	러	자	V	게	으	름	뱅
이	는	V	소	가	V	되	었
다	.					

9 (3) ×   **10** 현솔

---

1 독서 감상문은 책을 읽고 책을 읽게 된 까닭, 책 내용, 책을 읽으면서 든 생각이나 느낌을 쓴 글입니다.

(더 알아보기)

독서 감상문을 쓰는 방법
- 독서 감상문의 제목은 자신의 감상을 책 내용과 관련지어 쓰거나 책 제목을 그대로 쓰기도 합니다.
- '책을 읽게 된 까닭' 부분에는 책을 처음 대했을 때의 느낌이나 그 책을 고르게 된 까닭 등을 씁니다.
- '책 내용' 부분에는 책에서 인상 깊었던 내용이나 기억에 남는 부분 등이 잘 드러나게 쓰면 좋습니다.
- 독서 감상문의 '생각이나 느낌' 부분에는 생각이나 느낌을 자세히 쓰는 것이 좋습니다.

2 ⓒ의 행동하는 사람은 사서 선생님으로 웃어른입니다. 따라서 ⓒ'주었다'는 높임을 나타내는 '-시-'를 넣어 '주셨다'로 고쳐 써야 합니다.

3 이 글은 『대단한 줄다리기』라는 책을 읽고 쓴 독서 감상문으로 ⓔ은 '책 내용' 부분에 해당합니다.

(왜 틀렸을까?)

이 글에서 첫 번째 문단은 '책을 읽게 된 까닭', 두 번째 문단은 '책 내용', 세 번째 문단은 '생각이나 느낌' 부분에 해당합니다.

4 무툴라는 지혜로운 인물이므로 이 이야기에 대한 생각이나 느낌으로 무툴라처럼 지혜를 갖고 싶다고 쓰는 것이 알맞습니다.

5 사나이가 피리를 불어 쥐들을 강에 빠뜨린 것이 원인이고, 쥐들이 모두 없어진 것이 결과입니다. 앞에는 원인이 되는 내용이 나오고 뒤에는 결과가 되는 내용이 나올 때 이어 주는 말은 '그래서'입니다.

(왜 틀렸을까?)

'그러나'는 서로 반대되는 내용을 이어 줄 때 쓰는 이어 주는 말입니다.

6 '말을 하는 상대가 없이 혼자서 하는 말.'이라는 뜻의 낱말은 '혼잣말'이라고 써야 합니다.

7 '(2) → (3) → (1)'의 순서로 일이 일어났습니다.

8 소를 부러워하던 게으름뱅이가 쇠머리 탈을 머리에 쓴 뒤에 일어난 일은 게으름뱅이가 소가 된 일입니다.

9 (3)은 책 『소가 된 게으름뱅이』를 읽게 된 까닭에 해당하는 내용입니다.

10 독서 감상문을 쓸 때에는 먼저 독서 감상문을 쓸 책을 고르고 책 내용을 떠올립니다. 그런 다음 독서 감상문을 쓸 책의 내용 중 인상 깊은 장면이나 내용을 정합니다. 마지막으로 인상 깊은 까닭을 생각하고 책에 대한 생각이나 느낌을 정리하면 독서 감상문 한 편을 완성할 수 있습니다.

다음 권에서 다시 만나요~!

편지 쓰기

기억에 남는 일을 일기로 남겨 봐요.

즐겁고 행복했던 일

날짜: _____   날씨: _____

제목: _____

슬프고 속상했던 일

날짜: _____   날씨: _____

제목: _____

친절한 말은 아주 짧기 때문에
말하기가 쉽다.

하지만 그 말의 메아리는 무궁무진하게
울려 퍼지는 법이다.

Kind words can be short and easy to speak,
but their echoes are truly endless.

테레사 수녀

친절한 말, 따뜻한 말 한마디는 누군가에게 커다란 힘이 될 수도 있어요.
나쁜 말 대신 좋은 말을 하게 되면 언젠가 나에게 보답으로 돌아온답니다.
앞으로 나쁘고 거친 말 대신 좋고 예쁜 말만 쓰기로 우리 약속해요!

정답은
이안에
있어!

기초 학습능력 강화 프로그램
매일 조금씩 공부력 UP!

하루 독해　　　하루 어휘　　　하루 글쓰기　　　하루 VOCA

하루 수학　　　하루 계산　　　하루 도형　　　하루 사고력

과목	교재 구성	과목	교재 구성
하루 수학	1~6학년 1·2학기 12권	하루 사고력	1~6학년 A·B단계 12권
하루 VOCA	3~6학년 A·B단계 8권	하루 글쓰기	예비초~6학년 A·B단계 12권
하루 사회	3~6학년 1·2학기 8권	하루 한자	1~6학년 A·B단계 12권
하루 과학	3~6학년 1·2학기 8권	하루 어휘	예비초~6학년 1~6단계 6권
하루 도형	1~6단계 6권	하루 독해	예비초~6학년 A·B단계 12권
하루 계산	1~6학년 A·B단계 12권		

※ 각 교재별 출간 시기는 조금씩 다릅니다.

배움으로 행복한 내일을 꿈꾸는
천재교육 커뮤니티 안내 . . .

 교재 안내부터 구매까지 한 번에!
천재교육 홈페이지

천재교육 홈페이지에서는 자사가 발행하는 참고서,
교과서에 대한 소개는 물론 도서 구매도 할 수 있습니다.
회원에게 지급되는 별을 모아 다양한 상품 응모에도
도전해 보세요.

 구독, 좋아요는 필수! 핵유용 정보 가득한
천재교육 유튜브 <천재TV>

신간에 대한 자세한 정보가 궁금하세요?
참고서를 어떻게 활용해야 할지 고민인가요?
공부 외 다양한 고민을 해결해 줄 채널이 필요한가요?
학생들에게 꼭 필요한 콘텐츠로 가득한 천재TV로 놀러 오세요!

 다양한 교육 꿀팁에 깜짝 이벤트는 덤!
천재교육 인스타그램

천재교육의 새롭고 중요한 소식을 가장 먼저 접하고 싶다면?
천재교육 인스타그램 팔로우가 필수!
누구보다 빠르고 재미있게 천재교육의 소식을 전달합니다.
깜짝 이벤트도 수시로 진행되니 놓치지 마세요!